Агата Кристи
Первая леди детектива

Агата Кристи – самый публикуемый автор всех времен и народов после Шекспира. Тиражи ее книг уступают только тиражам его произведений и Библии. В мире продано больше миллиарда книг Кристи на английском языке и столько же – на других языках. Она автор восьмидесяти детективных романов и сборников рассказов, двадцати пьес, двух книг воспоминаний и шести психологических романов, написанных под псевдонимом Мэри Уэстмакотт. Ее персонажи Эркюль Пуаро и мисс Марпл навсегда стали образцовыми героями остросюжетного жанра.

Многие произведения писательницы были превращены в пьесы, фильмы и телевизионные сериалы. Среди наиболее известных фильмов по ее произведениям – «Убийство в "Восточном экспрессе"» (1974 и 2017 гг.) и «Смерть на Ниле» (1978 г.). Роль Пуаро в этих фильмах сыграли знаменитые актеры Альберт Финни, Кеннет Брана и Питер Устинов соответственно. На телевизионном экране незабываемый образ великого сыщика создал Дэвид Суше, а мисс Марпл воплотили такие актрисы, как Джоан Хиксон, Джеральдин Макьюэн и Джулия Маккензи.

АГАТА КРИСТИ

УБИЙСТВО
РОДЖЕРА ЭКРОЙДА

МОСКВА

2022

УДК 821.111-312.4
ББК 84(4Вел)-44
К82

Agatha Christie

THE MURDER OF ROGER ACKROYD

Оформление серии *Андрея Саукова*
Иллюстрация на переплете *Филиппа Барбышева*

Кристи, Агата.

К82   Убийство Роджера Экройда / Агата Кристи ; [пер.
с англ. А. С. Петухова]. — Москва : Эксмо, 2022. —
320 с.

ISBN 978-5-04-101008-9

После выхода этого романа критики буквально обрушились
на Агату Кристи, объявив ее отступником от «основных правил
детективного жанра». Но со временем он был признан одним из
лучших произведений автора — и дал миру новое правило жанра:
«читатель должен подозревать всех героев книги»...

Поначалу убийство эсквайра Роджера Экройда не казалось
полиции загадочным — все указывало на виновность пасынка
убитого. Но иначе считает Эркюль Пуаро, который недавно переехал в эти места, в очередной раз решив уйти на покой. Он начинает
расследование, имея вокруг множество подозреваемых — родственников и знакомых эсквайра, каждый из которых был заинтересо-
ван в его смерти. Повествование ведется от имени доктора Шеппарда, последнего, кто видел Экройда живым...

УДК 821.111-312.4
ББК 84(4Вел)-44

ISBN 978-5-04-101008-9

*Посвящается Пинки,
любительнице традиционных
детективов с убийствами,
расследованиями и подозрениями,
падающими на каждого!*

Глава 1
ДОКТОР ШЕППАРД ЗАВТРАКАЕТ

Миссис Феррарс скончалась в четверг, в ночь с 16 на 17 сентября. За мною прислали в пятницу, 17 сентября, в восемь часов утра. К тому моменту, как я появился, сделать ничего было нельзя — она была мертва уже несколько часов.

Домой я вернулся в начале десятого. Открыл входную дверь своим ключом и намеренно задержался в прихожей на несколько минут, вешая на вешалку шляпу и легкое пальто, которое предусмотрительно надел для защиты от прохлады раннего осеннего утра. Сказать по правде, я был здорово расстроен и обеспокоен. Не хочу притворяться, что в тот момент я предвидел все события, которые последовали в следующие несколько дней — подчеркну, что это было совсем не так, — но мои инстинкты подсказывали мне, что впереди нас ждут непростые времена.

Из столовой по левую руку от меня раздалось позвякивание чайных чашек и отрывистое, сухое покашливание моей сестры Кэролайн.

— Это ты, Джеймс? — спросила она.

Глупый вопрос — кто же это еще мог быть? Надо сказать, что именно моя сестрица Кэролайн была причиной моей задержки в прихожей. Мистер Киплинг рассказал нам, что девизом семейства мангустов было «Беги и разнюхай»[1]. Если у Кэролайн когда-нибудь появится свой герб, то я настаиваю, что на нем должен быть помещен именно этот зверек, стоящий на задних лапах. И при этом можно убрать первую часть девиза — Кэролайн может выяснить все что угодно, вообще не покидая дома. Я не знаю, как ей это удается, но дело обстоит именно так. Подозреваю, что ее разведывательным корпусом являются слуги и торговцы. Когда она выходит, то только для того, чтобы распространять информацию, а не для того, чтобы ее собирать. В этом сестра тоже достигла необычайных высот.

И именно эта ее способность вызывает у меня приступы замешательства и нерешительности. Что бы я сейчас ни сказал Кэролайн относительно смерти миссис Феррарс, это станет общественным достоянием всех жителей нашей деревни уже через полтора часа. Как профессионал, я, естественно, выступаю за сохранение врачебной тайны. Именно поэтому у меня вошло в привычку скрывать от сестры, насколько это вообще возможно, имеющуюся в моем распоряжении информацию. Правда, она все равно ее узнаёт, но я чувствую моральное удовлетворение от того, что это произошло не по моей вине.

Муж миссис Феррарс умер около года назад, и Кэролайн абсолютно уверена — хотя у нее нет никаких доказательств, — что его отравила собственная жена.

Она не обращает никакого внимания на мое авторитетное мнение, что причиной его смерти был

---

[1] Речь идет об известной сказке Р. Киплинга «Рикки-Тикки-Тави».

острый приступ гастрита, осложненный длительным и постоянным потреблением больших доз алкоголя. Я готов согласиться, что симптомы смерти от гастрита и отравления мышьяком в чем-то схожи, но обвинения Кэролайн основываются на совсем других фактах.

— Да ты просто взгляни на нее, — неоднократно говорила мне она.

Миссис Феррарс, женщина не первой молодости, была очень привлекательной дамой, а ее одежда, хотя и простая на вид, всегда прекрасно на ней сидела. Да и вообще многие женщины покупают свою одежду в Париже, но от этого необязательно становятся убийцами собственных мужей.

Так вот, пока я стоял в прихожей и все эти мысли мелькали у меня в голове, голос Кэролайн, на этот раз более резкий, прозвучал снова:

— Ради всего святого, Джеймс, что ты там делаешь? Почему не идешь есть свой завтрак?

— Уже иду, дорогая, — поспешно ответил я. — Я просто вешал пальто.

— За это время можно было повесить полдюжины пальто. — В этом она была права, я спокойно мог это сделать.

Войдя в столовую, я, как всегда, клюнул Кэролайн в щеку и уселся перед яичницей с беконом. Еда уже успела остыть.

— У тебя был ранний вызов, — заметила Кэролайн.

— Да, — ответил я, — в «Кингс-Паддок». К миссис Феррарс.

— Я знаю, — сказала моя сестра.

— Откуда ты это знаешь?

— От Энни.

10   Энни — это наша горничная. Милая девочка, но невероятно болтливая.

Последовала пауза. Я продолжал есть яичницу с беконом. Кончик носа моей сестрицы, длинного и тонкого, слегка подрагивал, что случалось всегда, когда она была чем-то взволнована или хотела что-то узнать.

— Итак, — поторопила меня Кэролайн.

— Все это очень грустно. Сделать ничего было нельзя. Скорее всего, она умерла во сне.

— Я знаю, — повторила моя сестрица, и это вывело меня из себя.

— Ты не можешь этого знать, — огрызнулся я. — Я сам этого не знал, пока не увидел ее, и еще не говорил об этом ни одной живой душе. Если твоя Энни это знает, то она ясновидящая.

— Об этом мне сказала вовсе не Энни, а молочник. А ему рассказал повар Феррарсов.

Как я уже сказал, Кэролайн вовсе не надо выходить на улицу, чтобы получить нужную информацию.

— А от чего она умерла? — продолжила моя сестра. — От сердца?

— А разве молочник не говорил? — спросил я голосом, полным сарказма.

Но сарказм на мою сестрицу не действует — она ко всему относится очень серьезно и отвечает соответствующим образом.

— Он этого не знает, — пояснила она.

В любом случае это рано или поздно станет известно, так пусть сестра услышит это от меня.

— Она умерла от передозировки веронала[1]. Принимала его в последнее время от бессонницы. И, наверное, перестаралась.

---

[1] В е р о н а л — сильнодействующее снотворное средство.

— Глупости, — немедленно среагировала Кэролайн. — Она сделала это нарочно. И не пытайся меня переубедить!

Странно, но когда ваши тайные мысли, в которых вы не хотите признаться даже самому себе, высказывает кто-то другой, то у вас это вызывает мгновенное неприятие. Я немедленно произнес возмущенный спич:

— Ну вот опять ты берешься что-то утверждать, ни в чем толком не разобравшись. С какой, скажи мне, стати миссис Феррарс совершать самоубийство? Вдова, все еще достаточно молодая и очень состоятельная, здоровая — только живи и радуйся! Это абсурд.

— Совсем нет. Даже ты мог бы заметить, что в последнее время она сама на себя была не похожа. И продолжалось это по крайней мере последние полгода. Согласись, что она выглядела сильно подавленной. А кроме того, ты же сам только что сказал, что она принимала снотворное.

— И каков же твой диагноз? — холодно поинтересовался я. — Наверное, несчастная любовь?

Но моя сестрица отрицательно покачала головой.

— *Раскаяние*, — со вкусом произнесла она.

— Раскаяние?

— Ну конечно. Ты же не хотел мне верить, когда я говорила, что она отравила мужа. А я теперь уверена в этом больше, чем когда бы то ни было.

— Мне кажется, что ты не очень логична, — возразил я. — Женщина, которая решается на такое преступление, как убийство, должна быть достаточно хладнокровна, чтобы потом иметь возможность наслаждаться его результатами. И ни о каких сантиментах вроде угрызений совести с ее стороны и речи быть не может.

12 Кэролайн покачала головой.

— Может быть, подобные женщины и существуют, но миссис Феррарс была не из таких. Вся словно комок обнаженных нервов. Минутный, но очень сильный порыв заставил ее избавиться от мужа, потому что она была женщиной, которая просто не могла переносить никакие страдания. А ты можешь быть уверен, что страданий у жены такого человека, как Эшли Феррарс, было больше чем достаточно...

Я согласно кивнул.

— А после этого угрызения совести за содеянное не оставляли ее. Мне ее очень жалко.

Не думаю, что Кэролайн хоть чуточку жалела миссис Феррарс, когда та была жива. А теперь, когда она отошла туда, где (скорее всего) не носят платьев из Парижа, Кэролайн была уже тут как тут, чтобы пожалеть и оправдать ее.

Я твердо сказал сестре, что ее идея — это абсолютная глупость.

Твердость моя объяснялась еще и тем, что сам я (тайно) был согласен с некоторыми вещами, которые она говорила. Но то, что Кэролайн дошла до всего этого путем простых умозаключений, казалось мне невозможным, и я решил не поощрять ее выводов. Она ведь сейчас отправится по деревне, высказывая свои взгляды, и люди могут подумать, что она основывается на точных данных, которые сообщил ей я...

Да, жизнь штука непростая.

— Глупости, — сказала Кэролайн в ответ на мою критику, — сам скоро увидишь. Десять против одного, что она оставила письмо, в котором во всем признается.

— Никаких писем она не оставляла, — резко ответил я, еще не понимая, к чему приведет меня это признание.

— Ах вот как! — воскликнула Кэролайн. — Значит, ты *уже* о нем спрашивал, правильно? Уверена, Джеймс, что в глубине души ты полностью со мною согласен. Просто ты старый обманщик.

— Никогда не надо сбрасывать со счетов возможность самоубийства, — произнес я с важностью.

— Будет досудебное расследование?[1]

— Возможно. Это от многого зависит. Если я заявлю, что абсолютно уверен в том, что передозировка произошла случайно, то расследование могут отменить.

— А ты в этом абсолютно уверен? — проницательно спросила моя сестрица.

Я не ответил и встал из-за стола.

---

[1] Процедура, которая производится в случае внезапной или насильственной смерти.

Глава 2
КТО ЕСТЬ КТО В КИНГС-ЭББОТ

Прежде чем я продолжу рассказ о том, что сказала мне Кэролайн и что я ей ответил, думаю, будет полезно сказать несколько слов о том, что я назвал бы «обстановкой», в которой разворачивались дальнейшие события. Наша деревня, Кингс-Эббот, на мой взгляд, мало чем отличается от других английских деревень. Кранчестер, ближайший к нам город, расположен в девяти милях от нее. В деревне есть большая железнодорожная станция, маленькое почтовое отделение и два конкурирующих между собою универмага. Трудоспособные мужчины рано покидают наше захолустье, поэтому основное население деревни составляют незамужние дамы и отставные военные. Все наши хобби и развлечения можно обозначить одним словом — СПЛЕТНИ.

В Кингс-Эббот есть только два дома, достойных внимания. «Кингс-Паддок», который достался миссис Феррарс от ее усопшего супруга, и «Фернли-парк», которым владеет Роджер Экройд. Последний всегда меня интересовал, потому что в моем представлении был абсолютным воплощением английского деревенского сквайра[1]. Он напоминает

---

[1] Сквайр (эсквайр) — почетный титул в Великобритании; в данном случае употребляется как равнозначный термину «джентльмен».

мне спортсмена с багровым лицом, который всегда раньше появлялся в первом акте старинной музыкальной комедии, когда на сцене стоят декорации деревенской лужайки. Обычно он исполнял песенку о поездке в Лондон. Сейчас времена изменились, и деревенские сквайры исчезли из музыкальных произведений.

Естественно, в действительности Экройд никакой не деревенский сквайр. Он очень успешный производитель (как мне кажется) колес для железнодорожных вагонов. Ему около пятидесяти, у него красное лицо и добродушные манеры. Экройд — лучший друг местного викария, щедро жертвует на церковный приход (хотя, по слухам, довольно прижимист в обычной жизни) и поддерживает соревнования по крикету, юношеский клуб и госпиталь для солдат-инвалидов. Его вполне можно назвать жизненным центром и душой нашей мирной деревушки Кингс-Эббот.

Когда Роджеру Экройду был двадцать один год, он влюбился, а потом и женился на красивой женщине, которая была лет на шесть-семь старше его. Звали ее Пейтон, она была вдовой, и у нее имелся один ребенок. Их совместная жизнь получилась короткой и несчастной. Проще говоря, женщина оказалась запойной пьяницей. И за четыре года, прошедшие после свадьбы, умудрилась упиться до смерти.

В последующие годы Экройд не проявлял никакого желания вступить в брак вторично. Когда женщина умерла, ее сыну от первого брака исполнилось всего семь лет. Теперь ему уже двадцать пять. Экройд всегда считал его своим собственным сыном и дал ему соответствующее образование и воспитание — не его вина, что мальчишка оказался без тор-

16 мозов и представлял собой источник постоянного беспокойства и проблем для своего отчима. И тем не менее все мы в Кингс-Эббот очень его любим. Хотя бы за то, что он очень привлекательный молодой человек.

Как я уже сказал, в нашей деревне все мы много и с удовольствием сплетничаем. Поэтому все сразу же заметили, что между Экройдом и миссис Феррарс возникли тесные отношения. После смерти мужа миссис Феррарс они стали еще более близкими. Их почти всегда видели вместе, и все сходились на том, что после того, как закончится период траура, миссис Феррарс станет миссис Роджер Экройд. Казалось, что во всем этом был глубокий смысл. Жена Роджера Экройда умерла от пьянства. Эшли Феррарс в последние годы перед своей смертью был законченным алкоголиком. Так что совершенно естественным выглядело то, что две эти жертвы неумеренного потребления алкоголя сойдутся и дадут друг другу то, что недополучили в объятьях своих предыдущих супругов.

Феррарсы переехали к нам жить чуть больше года назад, а вот Экройд был предметом сплетен нашего общества уже многие годы. За все те годы, пока Ральф Пейтон рос и превращался в мужчину, в доме Экройда побывали несколько домоправительниц, и все они подвергались тщательному и пристальному обсуждению со стороны Кэролайн и ее подружек. Можно сказать, что в течение последних пятнадцати лет вся деревня ждала, когда же Экройд женится на одной из этих женщин. Последней из них была внушающая уважение леди по имени мисс Рассел, которая безраздельно царила в доме уже пять лет, то есть в два раза дольше, чем любая из ее предшественниц. Чувствуется, что, если б не появление миссис Феррарс, Экройду вряд ли удалось бы вырваться из ее лап. Кроме этого, важную роль сыграло и неожиданное появление вдовы младшего, никчемного брата Экройда. Она с дочерью прибыла из Канады и прочно расположилась в «Фернли-парк». Это, по словам Кэролайн, поставило мисс Рассел «на место».

Не знаю, что в данном случае подразумевается под словом «место» — мне оно кажется холодным и неуютным, — но я вижу, что мисс Рассел ходит теперь по деревне с поджатыми губами и с улыбкой, которую я могу описать словом «ядовитая». Ее любимая тема для разговоров — это выражение симпатии «несчастной миссис Экройд, которая полностью зависит от милости брата ее ушедшего мужа. А подачки всегда так горьки, не так ли? Я бы умерла, если б сама не зарабатывала себе на жизнь».

Не знаю, как восприняла миссис Сесил Экройд отношения между своим деверем и миссис Феррарс, когда о них узнала. Естественно, для нее выгоднее всего было, чтобы Экройд оставался холостяком. Она всегда была очень мила — если не сказать преувеличенно мила — с миссис Феррарс, когда они встречались. Правда, Кэролайн утверждает, что это абсолютно ни о чем не говорит.

Вот каковы были главные темы для сплетен в Кингс-Эббот в последние несколько лет. Сам Экройд, как и все с ним связанное, был неоднократно обсужден со всех возможных точек зрения. Миссис Феррарс тоже было найдено достойное место во всей этой конструкции.

А теперь все изменилось, и вместо неторопливых обсуждений возможных свадебных подарков мы оказались перед лицом самой настоящей трагедии.

Раздумывая над этим и другими незначительными вопросами, я отправился на свой обход. В тот пери-

18 од мне не попадалось никаких сложных случаев, что, наверное, было и к лучшему, так как мыслями я все время возвращался к загадке смерти миссис Феррарс. Убила ли она себя? Но если это так, разве не оставила бы она письма, в котором объяснила бы свои намерения? По моему собственному опыту, женщины, решившиеся на самоубийство, обычно пытаются объяснить, что привело их к этому фатальному решению. Таким образом, они помещают себя под свет рампы.

Когда я видел ее последний раз? Больше недели назад. Вела она себя абсолютно нормально, принимая во внимание... принимая во внимание то, что случилось потом.

И вдруг я неожиданно вспомнил, что видел ее только вчера, хотя и не разговаривал с ней. Она шла вместе с Ральфом Пейтоном, и это-то меня и удивило, потому что я не знал, что он находится в Кингс-Эббот. Мне казалось, что он окончательно разругался со своим отчимом, и его не видели здесь уже больше шести месяцев. Они шли, близко склонившись друг к другу, и она что-то серьезно говорила ему.

Думаю, что я смело могу сказать, что именно в этот момент мне почудились сложности, которые ожидали нас всех в будущем. Тогда в этом не было ничего конкретного — просто смутное дурное предчувствие от того, как развивалась ситуация. И этот серьезный *tête-à-tête*[1] между Ральфом Пейтоном и миссис Феррарс в тот день вызвал у меня муторные ощущения.

Все еще размышляя об этом, я нос к носу столкнулся с Роджером Экройдом.

---

[1] Разговор с глазу на глаз (*фр.*).

— Шеппард! — воскликнул он. — Как раз вы-то мне и нужны. Жуткая ситуация.

— Так, значит, вы уже все знаете?

Экройд кивнул. Было видно, что он тяжело воспринял эти новости. Казалось, что его круглые красные щеки впали, и он едва походил на самого себя — всегда такого здорового и жизнерадостного.

— Все еще хуже, чем вам кажется, — негромко сказал он. — Послушайте, Шеппард, мне надо с вами поговорить. Вы можете сейчас пройти со мною?

— Думаю, что нет. Мне надо осмотреть еще троих пациентов, а к двенадцати я должен вернуться и принять тех, кому предстоят операции.

— Тогда, может быть, во второй половине дня?.. Или нет, давайте лучше пообедаем вместе. В полвосьмого вечера. Это вам подойдет?

— Думаю, да. А что случилось? Опять Ральф?

Не знаю, почему я это сказал — скорее всего, потому, что чаще всего это был именно Ральф.

Экройд посмотрел на меня пустыми глазами, как будто не понял, что я ему сказал. Мне пришло в голову, что где-то произошло нечто действительно ужасное. Раньше я никогда не видел Экройда таким расстроенным.

— Ральф? — непонимающе переспросил он. — Ах это!.. Нет, нет, не Ральф. Он в Лондоне... Черт побери, вот идет старая мисс Ганнет. Я не хочу говорить при ней обо всех этих ужасных делах. До вечера, Шеппард, — в семь тридцать, не забудьте!

Я кивнул, и он торопливо ушел, оставив меня в полном недоумении. Ральф в Лондоне? Но ведь накануне он был в Кингс-Эббот. Должно быть, вернулся в город вчера вечером или сегодня рано утром... И тем не менее то, как Экройд о нем говорил, произвело на меня совсем другое впечатление. Он гово-

20 рил так, как будто Ральф не показывался здесь уже много месяцев.

Но времени обдумать эту ситуацию у меня не было. Мисс Ганнет набросилась на меня, желая немедленно получить информацию. Она ничем не отличается от моей сестрицы — разве что ей не хватает способностей последней делать немедленные выводы из услышанного, что возносит Кэролайн на поистине значительную высоту в своей области. Не успев перевести дыхание, женщина немедленно засыпала меня вопросами.

Разве не печально, что с бедняжкой миссис Феррарс произошло такое? Многие говорят, что она была наркоманкой со стажем. Ужасно, насколько несдержанными бывают некоторые люди. Но самое ужасное, что в подобных диких предположениях всегда есть крупица правды — ведь дыма без огня не бывает! Говорят также, что мистер Экройд узнал об этом и разорвал помолвку — потому что они *уже были* помолвлены! Сама она, мисс Ганнет, уверена в этом на все сто процентов. Естественно, что *вы, доктор,* должны об этом знать — врачи всегда все знают, но почему-то никогда ничего не рассказывают...

Говоря все это, она не отрывала от меня взгляда своих острых, похожих на бусинки глазок, чтобы не пропустить мою реакцию на сказанное.

Именно в этот момент я, неожиданно для нее, поздравил мисс Ганнет с тем, что она не присоединилась к этим ужасным сплетням о миссис Феррарс. Мне показалось, что это прекрасный способ контратаки. Она оказалась в замешательстве и пока пыталась собраться с мыслями, я быстро удалился.

В задумчивости я вернулся домой и увидел, что возле операционной меня ждут несколько пациентов.

Освободившись, как я надеялся, от последнего из них, я на несколько минут вышел в сад, проветриться перед ланчем, и понял, что меня ожидает еще одна пациентка. Она поднялась и направилась в мою сторону. Я поджидал ее с некоторым удивлением. Не знаю, чем оно было вызвано — разве тем, что мисс Рассел всегда казалась мне железной женщиной, которая находится выше всяких телесных страданий.

Домоправительница Экройда — высокая, приятная на вид женщина, хотя в ней есть что-то недружелюбное. У нее непреклонный взгляд и крепко сжатые губы; мне всегда казалось, что, будь я горничной или посудомойкой, немедленно бежал бы без оглядки, увидев ее даже мельком.

— Доброе утро, доктор Шеппард, — сказала мисс Рассел. — Я бду вам очень благодарна, если вы посмотрите мое колено.

Я взглянул на него, но, честно сказать, ничего не увидел. Рассуждения мисс Рассел о каких-то смутных болях были настолько неубедительны, что, если б речь шла о женщине с менее твердым характером, я заподозрил бы попытку симуляции. На какое-то мгновение мне пришло в голову, что мисс Рассел намеренно все это выдумала — для того, чтобы иметь возможность обсудить со мною смерть миссис Феррарс, — но вскоре я понял, что ошибаюсь. Она лишь мельком упомянула о трагедии, и не более того. И тем не менее было видно, что она не прочь задержаться и поговорить.

— Спасибо вам большое за эту мазь, доктор, — сказала мисс Рассел, — хоть я и не верю, что она мне поможет.

Я тоже в это не верил, но запротестовал, чтобы поддержать престиж профессии. Я был уверен, что хуже от этой мази уж точно не будет, и решил не изменять раз и навсегда усвоенным правилам.

— Я вообще не верю во все эти препараты, — сказала мисс Рассел, пренебрежительно оглядывая целую батарею пузырьков на полках. — А наркотики, так те просто опасны. Вспомните, например, о кокаине.

— Если уж вы об этом вспомнили...

— А ведь он очень популярен в высшем обществе.

Я уверен, что мисс Рассел знает о высшем обществе гораздо больше меня, и поэтому не стал с нею спорить.

— Скажите, доктор, — продолжила женщина, — если вы уже стали наркоманом, можно ли это вылечить?

На такой вопрос невозможно ответить просто «да» или «нет». Мне пришлось прочитать ей небольшую лекцию, которую мисс Рассел выслушала с большим вниманием. Я все еще продолжал подозревать, что она хочет получить какую-то информацию о миссис Феррарс.

— Возьмем, например, веронал... — продолжил я.

Но, хотя это и показалось мне странным, веронал ее не заинтересовал. Вместо этого мисс Рассел заговорила о другом и спросила меня, существуют ли яды настолько редкие, что обнаружить их просто невозможно.

— Ах вот как! — сказал я. — Вижу, что вы начитались детективных романов.

Она не стала этого отрицать.

— В основе почти каждого детективного романа, — пояснил я, — лежит какой-нибудь редкий яд, желательно из Южной Америки, о котором никто никогда не слышал. Что-то, чем забытое богом племя дикарей натирает свои стрелы. Смерть от такого яда наступает мгновенно, а западная наука не может его обнаружить. Вы это имеете в виду?

— Да. Действительно ли существуют подобные вещи?

Я с сожалением покачал головой.

— Боюсь, что все это выдумки. Хотя не надо забывать о *кураре*[1].

Я довольно долго рассказывал ей о кураре, но мисс Рассел опять потеряла всякий интерес к предмету разговора. Она спросила, есть ли в моей аптечке какой-нибудь яд, и когда я ответил отрицательно, мне показалось, что я сильно упал в ее глазах.

Я никогда не думал, что мисс Рассел увлекается детективами. Мне доставило большое удовольствие, когда я представил себе, как она отчитывает нерадивую горничную, а потом возвращается к внимательному изучению «Тайны седьмой смерти» или чего-нибудь подобного.

---

[1] Южноамериканский стрельный яд, приготовляемый из коры растения Strychnos toxifera (Стрихнос ядоносный). При попадании яда в кровь жертва умирает от паралича дыхательных путей. При попадании в организм через желудочно-кишечный тракт яд безвреден.

Глава 3
ЧЕЛОВЕК, КОТОРЫЙ
ВЫРАЩИВАЛ КАБАЧКИ

За ланчем я сказал Кэролайн, что обедать буду в «Фернли-парк». Сестрица не стала возражать — совсем наоборот.

— Отлично, — сказала она. — Там-то ты все и услышишь. Кстати, а что там произошло с Ральфом?

— С Ральфом? — с удивлением переспросил я. — Да вроде ничего.

— Тогда почему он живет в «Трех кабанах», а не в «Фернли-парк»?

После того как это сказала Кэролайн, я уже больше ни на минуту не сомневался, что Ральф остановился в местной гостинице.

— Экройд сообщил мне, что он в Лондоне, — поведал я. Будучи донельзя удивленным, я даже забыл о своем золотом правиле никогда не выдавать то, что мне известно.

— Ах вот как! — сказала Кэролайн. Я заметил, как ее нос шевелился, пока она все это обдумывала.

— Он появился в «Трех кабанах» вчера утром, — сообщила моя сестрица. — И он все еще там. Вчера вечером его видели с девушкой.

Это меня совсем не удивило. Можно сказать, что Ральф проводит с девушками почти все свои вечера. Меня удивило только, что он решил повеселиться в Кингс-Эббот вместо развеселого Лондона.

— С одной из официанток?

— В том-то и дело, что нет. Он сам вышел, чтобы ее встретить. Я не знаю, кто она такая (представляю, как трудно было Кэролайн сделать такое признание), но могу предположить, — продолжила моя сестрица.

Я замер в ожидании.

— Это его кузина.

— Флора Экройд? — воскликнул я в изумлении.

Естественно, что в реальности Флора Экройд не имеет к Ральфу Пейтону никакого отношения, но Экройд так долго воспринимал его как собственного сына, что их мнимое родство не вызывало никаких вопросов.

— Флора Экройд, — подтвердила моя сестра.

— Но почему, если хотел ее увидеть, он не пошел в «Фернли»?

— Они тайно помолвлены, — сообщила Кэролайн, чуть не лопаясь от удовольствия. — Старик Экройд и слышать об этом не хочет, вот им и приходится встречаться таким образом.

В теории Кэролайн было достаточно много слабых мест, но я не стал ей на них указывать. Вместо этого я сделал невинное замечание по поводу нашего соседа, и разговор пошел в другом направлении.

Соседний с нами дом, который назывался «Ларчиз», был недавно приобретен незнакомцем. К невероятному огорчению Кэролайн, она ничего не смогла узнать о нем, кроме того, что он иностранец. Разведка сестрицы потерпела полное фиаско. Этот человек, как и все остальные, пил молоко, ел овощи, изредка мясо и иногда мерлузу[1], но ни один из поставщиков ничего не смог о нем сообщить.

---

[1] Сорт рыбы.

По всей видимости, звали его мистер Пэррот[1], и в этом имени было что-то нереальное. Единственное, что о нем было известно достоверно, — это то, что он выращивает кабачки.

Однако этой информации Кэролайн было явно недостаточно. Она хотела знать, откуда он приехал, чем занимается, женат он или нет и кто его жена, есть ли у него дети, как девичья фамилия его матери и так далее.

Мне кажется, что вопросы в анкетах придумывают люди, очень похожие на мою сестру.

— Моя дорогая Кэролайн, у меня нет никаких сомнений в профессии нашего соседа. Он парикмахер на покое. Взгляни на его усы.

Кэролайн со мной не согласилась. Она заявила, что если человек был когда-то парикмахером, то у него должны быть вьющиеся волосы, а не прямые. Потому что так носят все парикмахеры.

Я перечислил ей несколько парикмахеров, которых знал лично и у кого были прямые волосы, но это показалось моей сестрице малоубедительным.

— Я его совершенно не могу понять, — сказала она возбужденным голосом. — Несколько дней назад я одолжила у него садовый инвентарь, и он был сама любезность, но я ничего не смогла из него вытянуть. В конце концов я в лоб спросила его, француз ли он, и он ответил, что нет. После этого мне почему-то расхотелось задавать ему еще какие-нибудь вопросы.

Меня все больше интересовал наш таинственный сосед. Человек, способный на то, чтобы заставить замолчать мою сестрицу и отправить ее, как царицу

---

[1] P a r r o t (*англ.*) — попугай. Созвучно фамилии Пуаро (Poirot).

Савскую, восвояси, так ничего и не сказав ей, должен быть личностью выдающейся.

— Мне кажется, — заметила Кэролайн, — что у него есть один из этих новомодных пылесосов...

По глазам сестры я понял, что она глубоко задумалась о том, что его тоже можно одолжить (и при этом задать еще несколько вопросов), и поэтому, воспользовавшись своим шансом, рискнул поспешно выйти в сад. Мне нравится возиться в саду. Я как раз был занят уничтожением корней одуванчиков, когда рядом раздался предостерегающий крик, и что-то тяжелое, пролетев мимо моего уха, упало к моим ногам с противным хлюпаньем. Это был кабачок!

В гневе я поднял глаза. Над краем стены, слева от меня, виднелось мужское лицо. Голова, по форме напоминающая яйцо, частично покрытая подозрительно черными волосами, два невероятных уса и пара внимательных глаз. Это был наш таинственный сосед, мистер Пэррот.

Он немедленно рассыпался в извинениях.

— Позвольте принести вам тысячи извинений, месье. Мне нет прощения. Я уже несколько месяцев выращиваю кабачки. Сегодня утром я неожиданно на них разозлился и отправил их на прогулку — увы, не только мысленно, но и физически! Я схватил самый большой из них и бросил его через стену. Месье, мне очень стыдно. Перед вами я падаю ниц.

Услышав такие исчерпывающие извинения, я стал отходить. В конце концов несчастный кабачок меня не задел. Однако я подумал, что хорошо бы бросание больших овощей через стену не было хобби нашего соседа — ведь такая привычка вряд ли сможет внушить нам любовь к нему.

Странный маленький человечек, казалось, прочитал мои мысли.

— О нет! — воскликнул он. — Не позволяйте себе беспокоиться. Не моя это привычка. Вы ведь можете представить себе, месье, что человек трудится ради какой-то цели, работает, чтобы получить удовольствие и чем-то себя занять, а потом вдруг понимает, что не может жить без своих прошлых занятых дней и без своих старых дел, которые, как считал, он с радостью оставил позади?

— Да, — медленно согласился я. — Мне кажется, что это не такая уж большая редкость. Да я и сам пережил подобное. С год назад я получил наследство, достаточное для того, чтобы претворить в жизнь свою мечту. Мне всегда хотелось попутешествовать и посмотреть мир. Так вот, это случилось уже год назад, а я все еще здесь.

Мой маленький сосед согласно кивнул.

— Цепи привычки. Мы работаем, чтобы чего-то достичь, а достигнув, понимаем, что самым важным для нас была именно эта работа. Заметить хочу вам, месье, что у меня была интересная работа. Самая интересная в мире.

— Правда? — участливо переспросил я, на минуту почувствовав себя Кэролайн.

— Изучение человеческой природы, месье!

— Не больше и не меньше, — мягко заметил я.

Несомненно, он парикмахер на покое. Кто, кроме парикмахера, может лучше знать человеческую природу?

— А еще у меня был друг, который вместе со мною провел очень много лет. И, несмотря на идиотизм его, который меня иногда пугал, был он мне очень близок. Можете себе представить, как сейчас я скучаю даже по его глупости. Его наивность, его честный взгляд на мир, возможность удивлять и восхищать его своими сверхспособностями — всего этого мне не хватает больше, чем описать я это могу.

— Ваш друг умер? — поинтересовался я с сочувствием.

— Не так. Он живет и процветает — но на другой стороне земного шара. Он сейчас в Аргентине.

— В Аргентине, — с завистью повторил я.

Мне всегда хотелось побывать в Южной Америке. Я вздохнул, а подняв глаза, увидел, что мистер Пэррот с симпатией смотрит на меня. Казалось, что этот маленький человечек все очень хорошо понимает.

— Вы туда поедете, да? — спросил он.

— Я мог бы, — ответил я, — год назад. Но я оказался дураком и даже хуже — жадиной. И я решил выбрать синицу в руках, а не журавля в небе.

— Вас я понимаю, — произнес мистер Пэррот. — Вы купили акции?

Я с грустью кивнул, но в душе я испытывал удовольствие от беседы. Этот странный маленький человечек был зловеще серьезен.

— Случайно, не нефтяного прииска на Поркьюпайн?[1] — неожиданно спросил он.

Я удивленно посмотрел на него.

— Странно, но я действительно о них думал. Правда, потом я остановился на золотой жиле в Западной Австралии.

Мой сосед рассматривал меня со странным выражением лица, которое я никак не мог определить.

— Это Судьба, — произнес он наконец.

---

[1] П о р к ь ю п а й н — река на севере Канады и США (Аляска).

— Что за Судьба? — с раздражением спросил я.

— Что я живу по соседству с человеком, который серьезно рассматривал покупку акций нефтяного прииска на Поркьюпайн и Западно-Австралийской золотой компании. Скажите мне, вы тоже испытываете влечение к золотисто-каштановым волосам?

Я уставился на него, широко раскрыв рот, и он рассмеялся.

— Нет, нет, я не страдаю от душевного расстройства. Расслабьтесь. Я задал вам глупый вопрос, потому что тот мой друг, о котором я вам рассказывал, был молодым человеком, который считал всех женщин как минимум хорошенькими, а в основном красивыми. Но вы человек средних лет, врач, который постиг все секреты и сложности нашей жизни... Ну что же, мы оказались соседями. Вас умоляю принять в подарок для вашей изумительной сестры мой лучший кабачок.

Он с глубоким поклоном вручил мне громадный образчик вышеупомянутого представителя флоры, который я в той же манере принял.

— Вот уж действительно, — радостно сказал маленький человечек, — утро не прошло зря. Я познакомился с человеком, который напоминает мне моего далекого друга... Хотелось бы, кстати, спросить вас вот о чем — вы, без сомнения, знаете всех в этой деревеньке? Кто этот молодой человек с красивым лицом, очень темными глазами и вьющимися волосами? Он ходит с откинутой назад головой и беззаботной улыбкой на устах.

Я сразу же понял, кого он имеет в виду.

— Это, скорее всего, капитан Ральф Пейтон, — медленно произнес я.

— Я ведь раньше здесь его не видел?

— Конечно. Его не было здесь какое-то время. Но он сын — приемный сын — мистера Экройда из «Фернли-парк».

Мой сосед сделал короткий, нетерпеливый жест.

— Ну конечно. Догадаться должен был я сам. Мистер Экройд часто о нем рассказывал.

— А вы знаете мистера Экройда? — спросил я, слегка удивленный.

— Мистер Экройд знал меня в Лондоне, когда я там работал. Я попросил его ничего не рассказывать здесь о моей профессии.

— Понятно, — сказал я, сильно удивленный снобизмом моего собеседника, как я подумал в тот момент.

Но маленький человечек продолжил с высокопарной и самодовольной улыбкой:

— Предпочитаю сохранять инкогнито. Известность мне совсем ни к чему. Я даже не стал исправлять местный вариант произношения своего имени.

— Ну конечно, — сказал я, не зная, что положено говорить в таких случаях.

— Капитан Ральф Пейтон, — промурлыкал мой сосед. — И он помолвлен с племянницей мистера Экройда, очаровательной мисс Флорой...

— Кто вам это сказал? — спросил я, сильно удивившись.

— Мистер Экройд. С неделю назад. Он очень доволен — уже очень давно мечтал об этом, как я понял из его рассказа. Мне даже кажется, что он слегка надавил на молодого человека. Думаю, что это не очень умно. Молодые люди должны жениться в свое удовольствие, а не для того, чтобы доставить удовольствие своему отчиму, с которым у них связаны определенные ожидания.

Я не знал, что и подумать. Не мог себе представить Экройда, ведущего доверительные беседы с парикмахером и обсуждающего с ним женитьбу своего приемного сына и племянницы. Экройд всегда очень благородно относился к людям ниже его по общественному положению, но никогда не забывал о чувстве собственного достоинства. Я начал задумываться о том, что мистер Пэррот может и не быть парикмахером.

Чтобы как-то скрыть свое смущение, я задал первый вопрос, который пришел мне в голову:

— А почему вы обратили внимание на Ральфа Пейтона? Потому что он красив?

— Нет, не только поэтому, хотя по английским стандартам он очень красив — таких ваши писательницы обычно называют греческим богом... Нет, в этом молодом человеке есть что-то, чего я не понимаю.

Последнюю фразу мой сосед произнес мурлыкающим тоном, который произвел на меня незабываемое впечатление. Казалось, он дает оценку этому молодому человеку в соответствии со стандартами, которые мне, в отличие от него, не известны. Именно это я и запомнил, потому что в следующий момент раздался голос моей сестрицы, которая звала меня в дом.

Когда я вошел, Кэролайн была еще в шляпке — по-видимому, она только что вернулась из деревни.

— Я встретила мистера Экройда, — произнесла сестра без всякой преамбулы.

— Правда? — спросил я.

— Естественно, я его остановила, но мне показалось, что он торопился и хотел как можно быстрее от меня избавиться.

В этом я ничуть не сомневался. К Кэролайн он испытывал те же чувства, что я к мисс Ганнет утром, а может быть, даже более сильные. Но от Кэролайн не так легко избавиться.

— Я сразу же спросила его о Ральфе. Он был совершенно потрясен. У него не было никакой информации, что мальчик здесь. Более того, он сказал, что я, скорее всего, ошиблась. Я! ОШИБЛАСЬ!

— Какая глупость! Пора бы ему знать тебя получше.

— А потом он рассказал мне, что Ральф и Флора помолвлены.

— Я об этом тоже знаю, — прервал я ее со скромной гордостью.

— А кто тебе сказал?

— Наш новый сосед.

Было видно, что Кэролайн пошатнулась, словно увидела, как шарик рулетки застрял между двумя номерами.

— Я сказала мистеру Экройду, что Ральф живет в «Трех кабанах».

— Кэролайн, — поинтересовался я, — а тебе никогда не приходило в голову, что ты можешь многое напортить этой своей привычкой повторять все без всякого разбора?

— Глупости, — отмахнулась от меня моя сестрица. — Люди должны знать факты. И я считаю своим долгом доносить их до людей. Мистер Экройд был мне очень благодарен.

— Ну что ж... — сказал я, потому что видел, что это еще не конец.

— Мне показалось, что он прямиком направился в «Три кабана», но если это так, то Ральфа он там не застал.

— Не застал?

— Не застал, потому что, когда я возвращалась через лес...

— Возвращалась через лес? — переспросил я.

Моей сестрице хватило ума слегка покраснеть.

— День сегодня просто великолепный! — воскликнула она. — И я решила сделать небольшой кружок. Лес в своем желтом наряде выглядит просто потрясающе в это время года.

Лес в любое время года совершенно не интересует мою сестрицу. Обычно она смотрит на него как на место, где можно промочить ноги и где масса разных не очень приятных предметов может свалиться на голову. Нет, на этот раз ее завел туда именно тот самый инстинкт мангуста. Ведь этот лес рядом с деревней — единственное место, где можно никем не замеченным переговорить с молодой девушкой. Кроме того, он примыкает к парку усадьбы «Фернли».

— Ну что же ты, — сказал я, — продолжай.

— Так вот, как я уже сказала, я как раз возвращалась по лесу, когда услышала голоса...

Кэролайн замолчала.

— И что же дальше?

— Один голос принадлежал Ральфу Пейтону — его я сразу же узнала. Второй голос был женский. Ты же понимаешь, что я не собиралась подслушивать...

— Ну конечно, — прервал я ее голосом, исполненным сарказма, на который она опять не обратила никакого внимания.

— Но я просто не могла не услышать. Девушка что-то сказала — что именно, я не расслышала, — и Ральф ей ответил. Было слышно, что он очень зол. «Милочка моя, — сказал он, — разве ты не видишь, что старик оставит меня без гроша? За последние несколько лет я его здорово достал. Еще чуть-чуть, и конец. А денежки нам очень нужны. Когда старик откинется, я стану очень богатым человеком.

Он редкостный скупердяй, но денег у него куры не клюют. И я не хочу, чтобы он изменил свое завещание. Оставь все это мне и ни о чем не беспокойся». Это его точные слова. Я их очень хорошо запомнила. К сожалению, в этот момент я наступила на сухую ветку или что-то в этом роде — они стали говорить тише и отошли в сторону. Бежать за ними я не могла, поэтому так и не узнала, кто была эта девушка.

— Думаю, что ты здорово разозлилась, — предположил я, — и сразу же бросилась в «Три кабана», где тебе внезапно стало плохо и ты зашла в бар выпить бренди. Так ты смогла убедиться, что обе официантки на месте.

— Это была не официантка, — без колебаний сказала сестра. — Я почти уверена, что это была Флора Экройд, вот только...

— Вот только в этом нет никакого смысла, — согласился я.

— Но если это была не Флора, то кто же тогда?

И моя сестрица стала быстренько перебирать девушек, живущих в округе, взвешивая все «за» и «против». Когда она остановилась, чтобы перевести дух, я пробормотал что-то невразумительное насчет пациента и исчез.

Я решил прогуляться до «Трех кабанов». Ральф Пейтон к этому времени должен был уже вернуться.

Ральфа я знал очень хорошо, лучше всех в Кингс-Эббот. Раньше я знавал и его мать, поэтому хорошо понимал в нем то, что приводило других в замешательство. В какой-то степени Ральф был жертвой наследственности. К счастью, он не унаследовал пристрастия своей матери к алкоголю, но все равно была в нем какая-то слабость. Как сказал мой утренний знакомый, Ральф был очень красив.

36 Шести футов ростом, идеально сложенный, с грацией атлета, он унаследовал от матери темные волосы и приятное загорелое лицо, которое в любой момент было готово расплыться в улыбке. Ральф Пейтон принадлежал к категории людей, которые легко и без усилий очаровывают других. Он был себялюбив и экстравагантен и ни перед кем и ни перед чем на земле не преклонялся, однако все его любили, и его друзья были ему очень верны.

«Смогу ли я что-нибудь с ним сделать?» — размышлял я на ходу.

Когда я пришел в гостиницу, мне сказали, что капитан Пейтон только что появился. Я поднялся к нему в комнату и без предупреждения вошел.

На какой-то момент, после всего того, что видел и слышал, я заволновался о том, как он меня примет, но мои волнения оказались напрасными.

— Да это же Шеппард! Рад вас видеть. — Он пошел мне навстречу с протянутой рукой и солнечной улыбкой на лице. — Вот единственный человек, которого я с удовольствием вижу в этом богом забытом месте.

— А место-то здесь при чем? — приподнял я брови.

— Долго рассказывать, — ответил он с раздраженным смешком. — У меня есть некоторые проблемы, доктор. Но прошу вас, выпейте что-нибудь.

— Благодарю, — сказал я. — С удовольствием.

Ральф позвонил, а потом бросился в ближайшее кресло.

— Чтобы все было ясно с самого начала, — мрачно произнес он, — я влип по самую макушку. Честно говоря, я не представляю, что мне теперь делать.

— А в чем дело? — с симпатией спросил я у него.

— В моем сбитом с толку отчиме.

— И что же он натворил?

— Дело не в этом, а в том, что он собирается натворить.

Появился официант, и Ральф сделал заказ. Когда халдей исчез, он опять уселся в кресло, нахмурившись.

— И что, это действительно серьезно? — поинтересовался я.

Юноша кивнул.

— На этот раз я здорово попал, — мрачно признался он.

Несвойственная ему серьезность в голосе подсказала мне, что он говорит правду.

— Честно говоря, — продолжил Ральф, — я не понимаю, куда двигаться дальше... Будь я проклят, если мне это известно.

— Если я могу чем-то помочь... — с готовностью предложил я.

Но он очень решительно покачал головой.

— Спасибо, доктор, но я не могу вам ничего рассказать. В эту игру я должен сыграть в одиночку. — Помолчал, а потом повторил уже другим тоном: — Да, я должен сыграть в одиночку...

Глава 4
ОБЕД В «ФЕРНЛИ-ПАРК»

I

Было чуть меньше половины восьмого, когда я позвонил в парадную дверь «Фернли-парк». Дверь была открыта дворецким Паркером с похвальной быстротой.

Вечер был настолько хорош, что я решил прогуляться пешком. Когда я вошел в большой квадратный холл дома, Паркер освободил меня от легкого пальто. Именно в этот момент секретарь Экройда, приятный молодой человек, которого звали Реймонд, прошел через холл с кучей бумаг, направляясь в кабинет хозяина.

— Добрый вечер, доктор. Пришли на обед? Или по делам?

Последнее было намеком на мой черный саквояж, который я поставил на дубовый сундук.

Я объяснил, что меня в любое время могут вызвать на роды, поэтому я пришел, готовый к срочному вызову. Реймонд кивнул и пошел своей дорогой, бросив мне через плечо:

— Вы знаете, где находится гостиная. Дамы спустятся через минуту. Я должен отнести эти бумаги мистеру Экройду и предупрежу его, что вы пришли.

При появлении Реймонда Паркер исчез, поэтому я остался в холле в одиночестве. Посмотревшись в большое зеркало, висевшее на стене, поправил галстук и прошел к двери прямо перед собой, которая, как я знал, вела в гостиную.

В тот момент, когда я поворачивал дверную ручку, из комнаты послышался какой-то шум — мне показалось, что кто-то захлопнул окно. Должен сказать, что отметил я его чисто механически, не думая в то время, что это может оказаться важным.

Я открыл дверь и вошел. В дверях я почти столкнулся с мисс Рассел, которая как раз выходила из комнаты. Мы оба извинились друг перед другом.

Первый раз в жизни мне пришло в голову, что в молодости домоправительница была, должно быть, красивой женщиной — она и сейчас, без всяких сомнений, была таковой. В ее темных волосах еще не было видно седины, и когда на ее щеках играл румянец, то взгляд терял свою обычную строгость.

Совершенно подсознательно я задумался, выходила ли она на улицу — дыхание женщины было учащенным, как будто она только что бежала.

— Боюсь, что я пришел на несколько минут раньше, — сказал я.

— Да нет, я так не думаю! Сейчас уже больше половины восьмого, доктор Шеппард... — И после паузы она добавила: — Я... я не знала, доктор, что вы сегодня обедаете у нас. Мистер Экройд ничего мне не сказал.

У меня появилось смутное впечатление, что мое присутствие на обеде чем-то ее расстроило, но я не мог понять, чем именно.

— Как ваше колено? — поинтересовался я.

— Благодарю вас, доктор, без изменений. А теперь мне надо идти. Через минуту спустится миссис Экройд. Я... я просто пришла проверить, правильно ли расставлены цветы.

40   Она быстро вышла из комнаты. Я направился к окну, размышляя над ее очевидным желанием каким-то образом оправдать свое присутствие в комнате. Подойдя к окну, я увидел то, что должен был бы знать уже давно, если б дал себе труд обратить на это внимание, а именно — окна в гостиной были высокими, французскими, и выходили они на террасу. Поэтому тот звук, который я услышал, не мог быть звуком захлопываемого окна.

Совершенно бесцельно, больше стараясь отвлечь себя от грустных мыслей, я стал размышлять над тем, что же могло вызвать услышанный мною звук. Треск горящего угля? Нет, звук был на него совсем не похож. Задвигаемый ящик бюро? Опять не то...

Потом мой взгляд упал на то, что, по-моему, называют музейной витриной, — столик с поднимающейся стеклянной крышкой, через которую можно было видеть, что в нем находится. Я подошел к нему и стал изучать содержимое. В нем находились один или два предмета из старинного серебра, детский ботиночек, по преданию принадлежавший королю Карлу I, несколько китайских фигурок из нефрита и довольно большое количество африканских безделушек. Я захотел рассмотреть одну из нефритовых фигурок повнимательнее и поднял крышку. Она выскользнула у меня из рук и упала назад.

Я немедленно узнал тот звук, который слышал ранее. Это был звук крышки музейной витрины, которую осторожно и аккуратно закрыли. Пару раз я открыл и закрыл ее, чтобы убедиться в этом окончательно. После этого я оставил крышку открытой и стал внимательно изучать содержимое витрины.

Когда Флора Экройд вошла в комнату, я все еще стоял, наклонившись над экспонатами.

Многие люди не любят Флору Экройд, но даже они не могут ею не восхищаться. А со своими друзьями она может быть совершенно очаровательной. Если вы видели ее впервые, то в глаза вам сразу же бросалась ее необычная красота. У нее бледно-золотистые волосы, которые чаще встречаешь у жительниц Скандинавии, а глаза голубые, как норвежские фьорды. Кремовая кожа с легким румянцем, угловатые мальчишеские плечи и изящные бедра. Измученному своей работой врачу всегда приятно столкнуться с таким идеальным образчиком здоровья.

В общем, я могу быть немного старомоден, но назвать ее «простой и бесхитростной английской девушкой» мне бы и в голову не пришло.

Флора тоже подошла к витрине и высказала еретическую по своей сути мысль о том, что король Карл I никогда не носил этого ботиночка.

— И вообще, — продолжила мисс Флора, — мне кажется глупостью поднимать шум вокруг той или иной вещи только потому, что кто-то ее носил или пользовался ею. Ведь сейчас они этим уже не пользуются... Взять хотя бы перо, которым Джордж Эллиот написал свою «Мельницу на Флоссе»[1] — ведь, в конечном счете, это просто перо, и ничего больше. Если вы так уж без ума от Джорджа Эллиота, то почему не купить дешевое издание «Мельницы на Флоссе» и просто не прочитать его?

— Думаю, мисс Флора, что вы никогда не читаете такое старье?

— Вы ошибаетесь, доктор Шеппард, — это одно из моих любимых произведений.

---

[1] Роман Дж. Элиотта, впервые опубликованный в 1860 г.

Я был приятно удивлен, услышав это. То, что в наши дни читают молодые женщины и чем они восторгаются, положительно приводит меня в ужас.

— А вы еще не поздравили меня, доктор Шеппард, — сказала Флора. — Разве вы ничего не слышали?

Она протянула мне свою левую руку. На безымянном пальце сверкала одинокая жемчужина в изумительной оправе.

— Знаете, я выхожу замуж за Ральфа, — продолжила девушка. — Дядя очень доволен. Сами понимаете, таким образом я не покину семью.

Я взял ее за руки и произнес:

— Дорогая моя, надеюсь, что вы будете очень счастливы.

— Мы помолвлены уже месяц, — от голоса Флоры веяло прохладой, — но огласили помолвку только вчера. Дядя собирается привести в порядок «Кросс-Стоунз», и мы будем там жить. Будем притворяться, что занимаемся фермерским хозяйством, а в действительности будем охотиться зимы напролет, переезжать в город на время сезона, а потом плавать на яхте. Я обожаю море. И, естественно, буду заниматься благотворительностью и не пропущу ни одного собрания матушек[1].

Именно в этот момент появилась миссис Экройд и рассыпалась в извинениях за свое опоздание.

С сожалением должен признать, что я не люблю миссис Экройд. Кажется, что она состоит из сплошных цепочек, зубов и костей. Невероятно неприятная женщина. У нее маленькие выцветшие жесткие

---

[1] Так в Англии иногда называют регулярные собрания в церкви по церковным и конфессиональным вопросам.

голубые глазки, и как бы она ни фонтанировала
словами, эти ее глазки всегда остаются холодными
и подозрительными.

Оставив Флору у окна, я подошел к ней. Она протянула мне для пожатия горсть своих костей и колец
и немедленно заговорила.

Слышал ли я уже о помолвке Флоры? Все так
удачно складывается. Эти двое влюбились друг в
друга с первого взгляда. Идеальная пара — он черноволосый, а она такая белокурая...

— Не могу передать вам, доктор Шеппард, какое
облегчение я испытываю как мать.

Миссис Экройд глубоко вздохнула, наглядно
продемонстрировав это облегчение, в то время как
ее глаза продолжали проницательно рассматривать
меня.

— Мне вот что пришло в голову: вы ведь такой
старый друг милого Роджера... Все мы знаем, как
он прислушивается к вашим словам. А для меня,
вдовы бедняжки Сесила, все это так сложно... Все
эти ужасные вещи — вопросы наследования, брачный контракт и все такое... Я уверена, что Роджер
собирается выделить Флоре ежегодное содержание,
но вы же согласитесь со мной, что он ч-у-у-ть-чуть
странно ведет себя во всем, что касается денег. Я
слышала, что подобное встречается среди этих капитанов индустрии. Так вот, я и подумала — может
быть, вы сможете наставить его на путь истинный?
Флора так вас любит. Мы тоже считаем вас нашим
старым другом, хотя и знаем вас немногим более
двух лет...

Монолог миссис Экройд прервался, когда дверь
распахнулась еще раз. Честно сказать, я был этому
рад. Я ненавижу вмешиваться в дела других людей и
поэтому не имел ни малейшего желания обсуждать

с Экройдом ежегодное содержание Флоры. И если б дверь не открылась, мне пришлось бы прямо сказать об этом миссис Экройд.

— Вы ведь знакомы с майором Блантом, не так ли, доктор?

— Конечно, — ответил я.

Майора Бланта знают многие — по крайней мере, слышало о нем множество людей. Он убил больше диких животных в самых экзотических уголках земли, чем любой другой из живущих. Когда вы упоминаете его имя, то люди обычно говорят: «Блант — вы же не об этом специалисте по крупным диким животным?»

Его дружба с Экройдом всегда несколько смущала меня. Они были абсолютно разными. Гектор Блант, по-видимому, лет на пять моложе Экройда. Они подружились много лет назад, и хотя пошли разными дорогами в жизни, дружба эта продолжается и по сей день. Каждые два года Блант проводит пару недель в «Фернли», и громадный череп какого-то экзотического животного в окружении множества различных рогов, который вы видите, входя в дом, является доказательством этой дружбы.

Блант вошел в комнату своей особой, целеустремленной, но почти неслышной походкой. Он человек среднего роста, довольно коренастый и крепко сбитый. Лицо у него цвета красного дерева и абсолютно лишено каких-либо эмоций. Глядя на его серые глаза, можно подумать, что он все время внимательно следит за чем-то, что происходит где-то далеко-далеко. Говорит он мало, а когда говорит, то делает это прерывисто, как будто произнесение слов требует от него дополнительных усилий.

— Добрый вечер, Шеппард, — произнес он в своей привычной манере да так и остался стоять перед камином, глядя поверх наших голов, как будто увидел, что где-то в Тимбукту[1] происходит что-то страшно интересное.

— Майор Блант, — сказала Флора, — я бы хотела, чтобы вы рассказали мне об этих африканских безделушках. Уверена, что вы все о них знаете.

Я слышал, что о Гекторе Бланте говорили как о женоненавистнике, но он подошел к Флоре с тем, что я бы назвал готовностью. Они вместе склонились над витриной.

Я боялся, что миссис Экройд вновь начнет говорить о денежных вопросах, поэтому, в свою очередь, заговорил о новом сорте душистого горошка. Я узнал о нем из «Дейли мейл» только сегодня утром. Миссис Экройд ничего не понимает в садоводстве, но любит казаться хорошо информированной женщиной и тоже читает по утрам «Дейли мейл». Так что мы вели с ней вполне светскую беседу, пока не появился Экройд в сопровождении своего секретаря. Сразу же после этого Паркер объявил, что обед подан.

За столом я сидел между миссис Экройд и Флорой. Блант сидел по другую руку от миссис Экройд, а Джоффри Реймонд расположился рядом с ним.

Обед был не слишком веселым — было очевидно, что Экройд думает о чем-то своем. Он выглядел измученным и почти ничего не ел. Миссис Экройд, Реймонд и я поддерживали беседу. Флора, казалось, находилась под влиянием настроения своего дяди, а Блант привычно молчал.

---

[1] Город на севере центральной части Мали, в 13 км к северу от реки Нигер.

Сразу же после обеда Экройд взял меня под руку и повел к себе в кабинет.

— После того как нам подадут кофе, нас никто больше не побеспокоит. Я попросил Реймонда проследить за этим.

Я тайком внимательно посмотрел на него. Было ясно, что он находится под влиянием сильного эмоционального возбуждения. Пару минут хозяин дома мерил шагами комнату, а потом, когда появился Паркер с кофе, опустился в кресло перед камином.

Комната, в которой находился кабинет, была очень удобной. Одну из ее стен от пола до потолка заставили книжными полками. Обитые синей кожей кресла были большими и комфортными. На крышке большого рабочего стола, стоявшего около окна, лежали бумаги, аккуратно разложенные по пачкам. На круглом журнальном столике разместились журналы и спортивные газеты.

— У меня опять начались боли после еды, — спокойно заметил Экройд, наливая себе кофе. — Вы должны дать мне эти ваши таблетки.

Меня удивило, что он пытался представить наш разговор как беседу на медицинские темы, но я подыграл ему:

— Я так и подозревал и захватил лекарства с собой.

— Вот и отлично. Дайте мне их, пожалуйста.

— Они в моем саквояже в холле. Сейчас я их принесу.

Но Экройд остановил меня:

— Не беспокойтесь, Паркер все сделает... Прошу вас, Паркер, принесите саквояж доктора.

— Сию минуту, сэр.

Дворецкий покинул комнату, и я уже хотел было заговорить, но Экройд жестом остановил меня.

— Подождите минутку. Разве вы не видите, что я настолько взвинчен, что с трудом сдерживаюсь?

Это было видно невооруженным глазом, и я тоже стал нервничать. Меня одолевали дурные предчувствия.

Почти сразу же Экройд вновь заговорил.

— Прошу вас, проверьте, закрыто ли окно, — попросил он меня.

Удивленный, я встал и подошел к окну. Оно было не французским, а обыкновенной фрамугой, задернутой тяжелыми синими вельветовыми шторами; ее верхняя часть была открыта.

Я все еще стоял у окна, когда вернулся Паркер с моим саквояжем.

— Спасибо, — сказал я, отходя внутрь комнаты.

— Вы заперли окно на щеколду?

— Да, да. Что с вами происходит, Экройд?

Дверь за Паркером только что закрылась, иначе я бы не посмел задать такой вопрос.

Экройд помолчал минуту, прежде чем ответить.

— Я чувствую себя так, будто я в аду, — медленно произнес он. — Нет, нет, мне не нужны ваши дурацкие таблетки. Я заговорил о них только из-за Паркера. Слуги так любопытны... Подойдите и сядьте. Дверь тоже закрыта, правда?

— Да. Не волнуйтесь, нас никто не сможет подслушать.

— Шеппард, никто не знает, что мне пришлось пережить за последние двадцать четыре часа. Если когда-нибудь дом человека рушился прямо над его головой — так это обо мне. То, что произошло с Ральфом, — это последняя капля. Но мы сейчас

48 не будем об этом. Я о другом... о другом! Я не знаю, что мне с этим делать, а решение надо принять безотлагательно.

— А в чем дело?

Экройд молчал несколько минут. Казалось, что он никак не может решиться начать. Когда же Роджер начал, то вопрос, который он мне задал, застал меня врасплох. Такое я ожидал услышать в самую последнюю очередь.

— Шеппард, ведь это вы лечили Эшли Феррарса перед его смертью?

— Совершенно верно.

Следующий вопрос дался ему с еще большим трудом.

— А вы никогда не подозревали... то есть вам никогда не приходило в голову, что его отравили?

На несколько минут я потерял дар речи. Потом все же решился — Роджер Экройд не был моей сестрой.

— Скажу вам всю правду, — ответил я. — В тот момент у меня не возникло никаких подозрений, но потом... Пустая болтовня моей сестрицы заставила меня об этом задуматься. И с тех пор я не перестаю об этом думать. Но, хочу заметить, никаких фактов подозревать отравление у меня нет.

— Так вот, он *был* отравлен, — сказал Экройд.

У него был тяжелый и бесцветный голос.

— И кем же? — резко спросил я.

— Своей женой.

— Откуда вы это знаете?

— Она сама мне об этом сказала.

— Когда?

— Вчера... Боже мой, вчера! А кажется, что прошло уже лет десять!

Я ничего не сказал, и он продолжил:

— Вы понимаете, Шеппард, что все это должно остаться между нами, не должно выйти за стены моего кабинета. Мне нужен ваш совет — я не могу один тащить все это на себе. Как уже сказал, я не представляю, что делать.

— А вы можете рассказать мне всю историю? — попросил я. — Пока я мало что понимаю. Как миссис Феррарс вам в этом призналась?

— Вот как все произошло. Три месяца назад я сделал миссис Феррарс предложение. Она мне отказала. Я предложил во второй раз, и она согласилась — правда, запретила мне объявлять о помолвке, пока не закончится год ее траура. Вчера я нанес ей визит и сообщил, что со времени смерти ее мужа прошел уже год без трех недель и что не имеет смысла скрывать далее нашу помолвку. Я уже несколько дней видел, что она довольно странно себя ведет. И вот вчера, совершенно неожиданно, без всякой на то причины, она полностью раскрылась. И... и все мне рассказала. О своей ненависти к этому животному — своему мужу, о своей растущей любви ко мне и о том, какие жуткие шаги она предприняла. Яд! Бог мой! Это было абсолютно хладнокровное убийство.

На лице Экройда я видел ужас и отвращение. Наверное, миссис Феррарс тоже их увидела. Экройд не относится к типу тех мужчин, которые из-за любви готовы простить все что угодно. В основе его характера лежит гражданская добропорядочность. Все, что в нем было законопослушного и надежного, должно быть, восстало против этой женщины в момент ее откровений.

— Да, — продолжил он негромким, монотонным голосом, — она призналась во всем. У меня создалось впечатление, что об этом знал еще один человек, который стал ее шантажировать, требуя громадные деньги. Вот это и сводило ее с ума.

— И кто же это был?

Перед глазами у меня вдруг появилась картинка Ральфа Пейтона и миссис Феррарс, идущих совсем рядом. Их головы тесно сдвинуты. На мгновение я почувствовал тревогу. Если только представить себе... нет, это совершенно невозможно. Я вспомнил, с какой открытостью говорил со мной Ральф. Полный абсурд!

— Она не назвала его имени, — медленно произнес Экройд. — Более того, даже не сказала, что это был мужчина. Но, конечно...

— Конечно, — согласился я, — это должен быть мужчина. Вы кого-нибудь подозреваете?

Вместо ответа Экройд застонал и обхватил голову руками.

— Не могу, — сказал он. — Я теряю разум, просто думая об этом... Нет, я даже не буду высказывать вам эту дикую мысль, которая пришла мне в голову. Хотя вот что я вам скажу: нечто в ее словах заставило меня подумать, что этот человек относится к моему домашнему кругу... но ведь это невероятно! Должно быть, я ее неправильно понял.

— И что вы ей сказали?

— А что я мог сказать? Естественно, она увидела, какой это был для меня шок. Ведь сразу же возникал вопрос: что я должен делать в этом случае? Понимаете, она сделала меня соучастником уже свершившегося факта. И поняла все это быстрее, чем я, — так мне кажется. Я был совершенно ошарашен, понимаете? Она попросила дать ей двадцать четыре часа — взяла с меня слово, что до конца этого времени я не предприму никаких шагов. И она абсолютно твердо отказалась назвать имя негодяя, который ее шантажировал. Думаю, попросту боялась, что я немедленно с ним разберусь и тогда, по ее мнению, попаду в сложную ситуацию. Она сказала, что я получу весточку еще до того, как истекут двадцать четыре часа... Боже мой, Шеппард, клянусь, что я и не подозревал, что она собирается сделать. Самоубийство! И я довел ее до этого...

— Нет, нет, — ответил я. — Не надо так все преувеличивать. Вы совершенно не виновны в ее смерти.

— Вопрос в том, что мне делать теперь? Бедняжка умерла. К чему ворошить прошлое?

— Соглашусь с вами, — кивнул я.

— Но есть и еще один момент. Как мне добраться до этого мерзавца, который довел ее до смерти? Он знал о первом преступлении — и вцепился в него, как какой-то мерзкий стервятник. Она заплатила за все. Так что же, он так и останется ненаказанным?

— Понимаю. — Я говорил очень медленно. — Вы хотите ему отомстить? Но ведь это приведет к ненужной огласке, вы меня понимаете?

— Да, я подумал об этом. Я уже давно прокручиваю это у себя в голове.

— Я согласен с вами в той части, что мерзавец должен быть наказан, но не надо забывать о цене этого наказания.

Экройд встал и прошелся по комнате, потом опять опустился в кресло.

— Послушайте, Шеппард, а что, если мы оставим все как есть? И если от нее не будет никаких известий, то пусть все будет как будет.

— А что вы имеете в виду, говоря об известиях от нее? — полюбопытствовал я.

— У меня очень сильное подозрение, что где-то... как-то... она оставила для меня послание, прежде чем умерла. Это только предположение, но я ничего не могу с собой поделать.

Покачав головой, я уточнил:

— Но она ведь не оставила ни письма, ни какой-нибудь записки?

— Шеппард, я уверен, что она это сделала. Более того, я чувствую, что, совершив самоубийство, она хотела, чтобы все это стало известно широкой публике — хотя бы для того, чтобы отомстить человеку, который довел ее до такого отчаяния. Я верю, что если б я в тот момент был рядом, то она назвала бы его и умоляла бы меня во что бы то ни стало отомстить ему... — Экройд посмотрел на меня. — Вы верите в предчувствия?

— В какой-то степени. Особенно если, как вы говорите, от нее должна быть весточка...

Я замолчал. Дверь бесшумно открылась, и в кабинет вошел Паркер с подносом, на котором лежало несколько писем.

— Вечерняя почта, сэр, — объявил он, протягивая поднос Экройду, затем собрал пустые чашки и удалился.

Мое внимание, на мгновение отвлеченное появлением дворецкого, опять вернулось к Экройду. Окаменев, он смотрел на длинный голубой конверт. Остальные письма упали на пол.

— Это ее почерк, — прошептал Экройд. — Она, должно быть, отправила его как раз перед тем... перед тем, как...

Он разорвал конверт и вынул пачку исписанных листов. Неожиданно резко поднял глаза и спросил:

— Вы уверены, что окно закрыто?

— Абсолютно уверен, — удивленно ответил я. — А в чем дело?

— Весь вечер у меня странное ощущение, что за мной наблюдают, шпионят... А это что?..

Он резко повернулся, и я последовал его примеру. Мы оба почувствовали, что щеколда двери слегка подвинулась. Я подошел к двери и распахнул ее. За нею никого не было.

— Нервы, — пробормотал Экройд про себя.

Он расправил пачку листов и стал читать низким голосом:

Мой дорогой, мой самый дорогой Роджер.

Жизнь есть жизнь — сегодня я прочитала это в твоих глазах. И поэтому мне остается только одно — оставить тебя один на один с человеком, который превратил последний год моей жизни в настоящий ад. Сегодня я не сказала тебе его имени, но назову его в этом письме. У меня нет ни детей, ни близких родственников, о которых стоит волноваться, поэтому не бойся огласки. Если можешь, Роджер, мой самый дорогой Роджер, прости мне то зло, которое я могла тебе причинить, но так и не смогла...

Экройд остановился, перед тем как перевернуть страницу.

— Шеппард, простите меня, но это я должен прочитать один, — сказал он дрогнувшим голосом. — Это было написано для меня, и только для меня. — Он убрал письмо в конверт, который положил на стол. — Позже — когда я останусь один.

— Нет, — воскликнул я, повинуясь импульсу, — прочитайте его сейчас же!

Экройд с удивлением уставился на меня.

— Прошу прощения, — сказал я, покраснев. — Я не имел в виду прочитать его вслух. Но прочитайте его до конца, пока я здесь.

Экройд покачал головой.

— Нет, лучше я подожду.

Однако по какой-то причине, которую до сих пор не могу понять, я продолжал настаивать.

— На худой конец прочитайте хотя бы имя этого человека, — попросил я.

По сути своей Экройд личность довольно упрямая, поэтому, чем больше вы просите его что-то сделать, тем больше он упирается. Все мои аргументы на него не подействовали.

Письмо было доставлено без двадцати девять. А без десяти девять, когда я уже покидал «Фернли», оно все еще оставалось непрочитанным. Положив руку на ручку двери, я остановился и оглянулся, чтобы проверить, не оставил ли что-нибудь недоделанным. Но ничего вспомнить так и не смог и, покачав головой, вышел и закрыл за собою дверь.

Увидев Паркера совсем рядом с нею, я невольно вздрогнул. Он выглядел смущенным, и я подумал, что дворецкий мог подслушивать под дверью.

У этого человека было на удивление жирное, самодовольное и лоснящееся лицо, а в его глазах было нечто хитрое и изворотливое.

— Мистер Экройд еще раз подчеркнул, что не хочет, чтобы его беспокоили, — холодно произнес я. — Он просил меня передать это вам.

— Ну конечно, сэр. Просто мне показалось... что я услышал звонок.

Это была настолько неприкрытая ложь, что я даже не удосужился на нее ответить. Проводив меня в холл, Паркер помог мне надеть пальто, и я вышел на улицу. На небе была сплошная облачность, и все вокруг выглядело мрачно и неподвижно.

Когда я проходил через ворота, деревенские часы пробили девять. Я повернул налево, в сторону деревни, и почти врезался в мужчину, шедшего в противоположном направлении.

— Эта дорога ведет в «Фернли-парк»? — спросил незнакомец хриплым голосом.

Я взглянул на него. Его шляпа была натянута на самые глаза, а воротник пальто поднят. Я почти не видел его лица, но мне показалось, что он довольно молод. Голос его был груб и явно принадлежал малообразованному человеку.

— Вот это въездные ворота, — ответил я.

— Благодарю вас, мистер. — Он помолчал, а потом совершенно бессмысленно добавил: — Понимаете, я чужак в здешних краях.

Он прошел через ворота, а я обернулся, чтобы посмотреть ему вслед.

Самым странным было то, что его голос показался мне знакомым, но я никак не мог вспомнить, кому он принадлежит.

Через десять минут я был уже дома. Кэролайн разрывалась от любопытства узнать, почему я вернулся так рано. Мне пришлось рассказать ей придуманную историю про сегодняшний вечер, чтобы удовлетворить ее любопытство, и у меня создалось впечатление, что она поняла, что это была выдумка.

В десять часов я встал, зевнул и предложил идти спать. Кэролайн молча согласилась.

Это был вечер пятницы, а по вечерам в пятницу я завожу часы во всем доме. Так я сделал и в тот вечер, пока Кэролайн проверяла, насколько тщательно слуги заперли двери.

В четверть одиннадцатого мы поднялись на второй этаж. Только я успел ступить на верхнюю лестничную площадку, как внизу зазвонил телефон.

— Это миссис Бэйтс, — немедленно предположила Кэролайн.

— Боюсь, что ты права, — уныло согласился я и, спустившись вниз, снял трубку.

— Что? — переспросил я. — Что вы говорите? Конечно, сейчас буду.

Я взбежал по лестнице, схватил свой саквояж, положил в него несколько лишних бинтов и крикнул Кэролайн:

— Это Паркер, из «Фернли»! Они только что обнаружили убитого Роджера Экройда!

Глава 5
УБИЙСТВО

Я бросился в машину и через несколько секунд уже мчался в сторону «Фернли». Приехав, я нетерпеливо нажал кнопку звонка входной двери. Никто не открывал, и я позвонил еще раз.

Наконец я услышал, как загремели цепочки, и на пороге появился абсолютно невозмутимый Паркер.

Оттолкнув его, я влетел в холл.

— Где он? — спросил я, задыхаясь.

— Прошу прощения, сэр?

— Ваш хозяин. Мистер Экройд... Послушайте, не стойте здесь и не таращитесь на меня. Вы уже позвонили в полицию?

— В полицию, сэр? Вы сказали, в полицию? — Паркер уставился на меня, как на привидение.

— Что с вами происходит, Паркер? Если, как вы говорите, ваш хозяин был убит...

Паркер чуть не задохнулся.

— Хозяин? Убит? Но это невозможно, сэр!

Теперь уже наступила моя очередь таращиться.

— А разве вы не звонили мне пять минут назад и не сказали, что мистера Экройда нашли убитым?

— Я, сэр? Нет, конечно, нет, сэр. Мне бы такое даже в голову не пришло.

— Вы что, хотите сказать, что все это был глупый розыгрыш? И что с мистером Экройдом всё в порядке?

— Простите меня, сэр, а что, человек, который вам позвонил, назвался моим именем?

— Вот дословно то, что он сказал: «Это доктор Шеппард? Говорит Паркер, дворецкий из «Фернли». Не могли бы вы немедленно приехать, сэр? Мистера Экройда убили».

Мы с Паркером тупо смотрели друг на друга.

— Жутковатая шуточка, скажу я вам, сэр, — произнес наконец дворецкий шокированным тоном. — Только представить себе, что можно сказать что-то подобное...

— А где сам мистер Экройд? — неожиданно спросил я.

— Полагаю, что все еще в кабинете, сэр. Леди уже отошли ко сну, а майор Блант и мистер Реймонд в бильярдной.

— Думаю, что я загляну к нему на секунду, — сказал я. — Я знаю, что он не хотел, чтобы его беспокоили, но после этой идиотской шутки мне как-то не по себе. Просто хочу убедиться, что с ним всё в порядке.

— Конечно, сэр. Я тоже волнуюсь. Если вы не возражаете, сэр, то я пройду с вами — только до двери кабинета, сэр...

— Отнюдь не возражаю. Пойдемте.

Я прошел в правую от себя дверь. Паркер следовал за мной по пятам. Мы пересекли маленький холл, в котором находилась небольшая лестница, ступеньки которой вели наверх, в спальню Экройда, и постучались в дверь его кабинета.

Нам никто не ответил, а когда я попытался открыть дверь, то оказалось, что она заперта изнутри.

— Разрешите мне, сэр, — предложил Паркер.

Очень изящно для человека его пропорций он опустился на колено и прижался глазом к замочной скважине; затем произнес, поднимаясь на ноги:

— Ключ торчит в скважине, сэр. Изнутри. Скорее всего, мистер Экройд заперся, а потом просто крепко заснул.

Я тоже наклонился и убедился в том, что слова дворецкого — правда.

— Наверное, вы правы, — сказал я, — но все равно, Паркер, мне придется разбудить вашего хозяина. Я не смогу со спокойной душой уехать домой, пока он сам не скажет мне, что с ним всё в порядке.

Сказав это, я потряс ручку двери и крикнул:

— Экройд, Экройд, откройте!

Мне никто не ответил.

— Мне бы не хотелось будить весь дом, — с сомнением бросил я через плечо.

Паркер отошел и закрыл дверь в большой холл, через которую мы прошли.

— Думаю, сэр, что теперь всё нормально. Бильярдная на противоположной стороне дома, так же как и кухня и спальни леди.

Я согласно кивнул, еще сильнее потряс дверь и, наклонившись, крикнул практически в самую скважину:

— Экройд, Экройд, это Шеппард. Впустите меня!

И опять полная тишина. Из закрытой комнаты не доносилось никаких звуков. Мы с дворецким посмотрели друг на друга.

— Послушайте, Паркер, — сказал я, — я сейчас сломаю эту дверь, то есть мы сделаем это вместе с вами. Всю ответственность я беру на себя.

— Как скажете, сэр, — ответил Паркер с сомнением.

— Я именно так и говорю. Я сильно волнуюсь по поводу мистера Экройда.

Я осмотрел маленький холл и увидел тяжелый дубовый стул. Взяв его с двух сторон, мы с Паркером бросились в атаку на дверь. Нам пришлось трижды ударить стулом в область замка, и только на третьем ударе дверь поддалась, и мы вломились в комнату.

Экройд сидел перед камином там же, где я его и оставил. Его голова упала набок, и прямо под воротничком был ясно виден блеск какого-то металлического предмета.

Мы с Паркером прошли вперед и остановились над неподвижной фигурой. Я услышал, как дворецкий с шипением втянул в себя воздух.

— Ударили сзади, — пробормотал он. — Ужас!

Паркер вытер платком пот со лба и протянул дрожащую руку к рукоятке кинжала.

— Не трогайте, — резко остановил его я. — Немедленно идите и позвоните в полицейский участок. Сообщите им о случившемся. А потом скажите обо всем мистеру Реймонду и майору Бланту.

— Слушаюсь, сэр.

Паркер заторопился прочь, все еще вытирая покрытый потом лоб.

Я сделал то немногое, что мне оставалось: постарался не менять положение тела и вообще не дотронулся до кинжала. Тут требовалась большая осторожность, ни до чего нельзя было дотрагиваться. Но, поверхностно осмотрев Экройда, я понял, что он мертв уже какое-то время.

Снаружи раздался голос молодого Реймонда, полный ужаса и сомнений:

— Что вы говорите? Боже! Это невозможно! Где доктор?

Он стремительно возник в дверях и замер как вкопанный, с лицом белым, как бумага. Гектор Блант рукой отодвинул его в сторону и прошел в комнату.

— Боже мой! — воскликнул Реймонд у него из-за спины. — Так, значит, это правда!

Блант прошел прямо к креслу и нагнулся над телом. Мне показалось, что он, как и Паркер, сейчас дотронется до рукоятки кинжала. Одной рукой попридержав его, я пояснил:

— Здесь ничего нельзя трогать. Полиция должна увидеть все как есть.

Блант кивнул в знак согласия. Его лицо, как и всегда, было абсолютно неподвижно, но мне показалось, что под этой непроницаемой маской чтото промелькнуло. Теперь к нам подошел и Джоффри Реймонд, который смотрел на тело из-за плеча Бланта.

— Это ужасно, — негромко произнес он.

Реймонд уже взял себя в руки, но когда снял пенсне, которое обычно носил, и стал его полировать, то руки его заметно дрожали.

— Скорее всего, ограбление, — предположил он. — Однако как грабитель попал сюда? Через окно? Что-нибудь пропало?

Реймонд подошел к столу.

— Вы считаете, что это ограбление? — медленно спросил я.

— А что еще? Ведь, я полагаю, речь о самоубийстве не идет?

— Ни один человек не сможет так воткнуть в себя нож, — уверенно произнес я. — Без всяких сомнений, это убийство. Но где мотив?

— У Роджера не было никаких врагов, — спокойно заметил майор Блант. — Так что, скорее всего, это действительно грабители. Но что им было надо? Кажется, что всё в абсолютном порядке.

Он оглянулся вокруг. Реймонд продолжал просматривать бумаги на столе.

— На первый взгляд ничего не пропало, и не видно, чтобы кто-то пытался вскрыть ящики стола.

Блант сделал короткий жест головой.

— На полу лежат какие-то письма, — заметил он.

Я посмотрел на пол. Там все еще лежали те письма, которые Экройд уронил вечером.

А вот голубого конверта, в котором было письмо миссис Феррарс, нигде не было видно. Я уже раскрыл было рот, чтобы сказать об этом, но дом заполнили трели звонка. В холле раздался шум голосов, и в кабинете появился Паркер в сопровождении нашего местного инспектора и констебля.

— Добрый вечер, джентльмены, — поздоровался инспектор. — Мне чрезвычайно жаль! Такой достойный джентльмен, как мистер Экройд... Дворецкий говорит, что это убийство. А самоубийство полностью исключается, доктор?

— Полностью, — ответил я.

— Да, плохи наши дела...

Он подошел, остановился над телом и резко спросил:

— Здесь ничего не двигали?

— Я не двигал тело — только убедился, что Экройд мертв. Это было совсем несложно, — пояснил я.

— Ах вот как! И все указывает на то, что убийце удалось скрыться — по крайней мере, на данный момент... Теперь я хотел бы услышать подробности. Кто обнаружил тело?

Я подробно рассказал все обстоятельства происшедшего.

— Вы говорите, что вам позвонили по телефону? И представились дворецким?

— Я ничего подобного не делал, — заявил Паркер серьезным голосом. — Я за весь вечер и близко не подходил к телефону. Это любой может подтвердить.

— Очень странно... А голос был похож на голос Паркера, доктор?

— Не могу точно сказать. Понимаете, я воспринял это как должное.

— Естественно. Итак, вы примчались сюда, взломали дверь и нашли беднягу Экройда именно в таком положении... Как вы считаете, доктор, сколько уже времени он мертв?

— По меньшей мере полчаса, может быть, чуть дольше.

— Вы говорите, что дверь была заперта изнутри. А как насчет окна?

— Я сам закрыл его и задвинул шпингалет сегодня вечером. Меня попросил об этом мистер Экройд.

Инспектор прошел к окну и отодвинул шторы.

— В любом случае сейчас оно открыто, — сообщил он.

И действительно, окно было открыто. Его нижняя рама была поднята на всю возможную высоту.

Достав карманный фонарик, инспектор внимательно осмотрел подоконник со стороны улицы.

— Убийца вошел и вышел именно через окно, — заметил он. — Посмотрите сами.

В свете мощного луча фонаря были ясно видны несколько следов обуви. Они были похожи на отпечатки подошв с резиновыми шипами. Один из них, особенно хорошо заметный, указывал на то, что владелец этой обуви проник внутрь, а второй, слегка перекрывающий первый, — на то, что вылез он тем же путем.

— Ясно как божий день, — сказал инспектор. — Уже определили, что пропало?

Джоффри Реймонд покачал головой.

— Пока нет. Мистер Экройд никогда не держал в кабинете ничего ценного.

— Гм-м, — произнес инспектор. — Человек видит открытое окно. Забирается внутрь и обнаруживает в комнате мистера Экройда — вполне возможно, что тот спит в кресле. Человек бьет его ножом в спину, а потом пугается того, что совершил, и смывается. При этом он оставляет очень заметные следы. Думаю, что мы легко его возьмем. За последнее время вокруг дома не крутились подозрительные личности?

— Боже! — неожиданно воскликнул я.

— В чем дело, доктор?

— Сегодня вечером я встретил незнакомца, как раз когда выходил из ворот. Он спросил меня, как пройти в «Фернли-парк».

— Во сколько это произошло?

— Сразу же после девяти вечера. Открывая ворота, я слышал, как прозвонили часы на церкви.

— Вы можете его описать?

Я постарался сделать это в меру своих способностей.

Инспектор повернулся к дворецкому:

— Кто-нибудь подходящий под это описание подходил к центральному входу?

— Нет, сэр. Вечером в доме не было никого из посторонних.

— А как насчет черного хода?

— Не думаю, сэр, но я спрошу слуг.

Паркер направился к двери, но инспектор остановил его жестом руки.

— Спасибо, не надо. Я сам задам необходимые вопросы. Но прежде я хотел бы поточнее разобраться со временем. Когда мистера Экройда в последний раз видели живым?

— Думаю, что это был я, — признался я, — когда уходил — по-моему, было где-то без десяти девять. Он еще сказал мне, что не хочет, чтобы его беспокоили, и я передал это распоряжение Паркеру.

— Именно так, сэр, — почтительно произнес дворецкий.

— В половине десятого мистер Экройд был точно жив, — вставил Реймонд. — Я слышал, как он с кем-то здесь разговаривал.

— И с кем же?

— Этого я не знаю. Естественно, что в тот момент я подумал, что с доктором Шеппардом, с которым он раньше прошел в кабинет. Я хотел задать ему пару вопросов по поводу документов, над которыми работал, но, услышав голоса, вспомнил, как Роджер сказал, что не хочет, чтобы его беседу с доктором прерывали, и не стал заходить. Но теперь я понимаю, что доктор к тому времени уже ушел?

Я утвердительно кивнул.

— В четверть десятого я уже был дома, — подтвердил я. — И никуда не выходил, пока не раздался телефонный звонок.

— Кто же мог быть с убитым в половине десятого? — задал вопрос инспектор. — Вас там, случайно, не было, мистер э-э-э...

— Майор Блант, — подсказал я.

— Майор Гектор Блант? — переспросил инспектор, и в его голосе послышалось уважение.

Тот молча кивнул.

— Кажется, вы уже бывали у нас раньше, сэр, — заметил инспектор. — Я вас сразу не узнал, но вы гостили у мистера Экройда год назад, в мае.

— В июне, — поправил его Блант.

— Точно, именно в июне. Так я спросил, это не вы были с мистером Экройдом в половине десятого?

66   Майор отрицательно покачал головой.

— Я не видел его после обеда, — добавил он.

Инспектор снова повернулся к Реймонду:

— Вы ничего не услышали из того, что говорилось за дверью, а?

— Нет, я разобрал коротенький отрывок, — сказал секретарь. — И так как я полагал, что в кабинете находится доктор Шеппард, то он показался мне очень странным. Если я правильно помню, то вот что было сказано: «...посягательства на мой кошелек в последнее время носили регулярный характер, — это сказал мистер Экройд, — поэтому боюсь, что не смогу удовлетворить ваше требование». Естественно, что я сразу же ушел, поэтому больше ничего не слышал. Но я был в замешательстве, потому что доктор Шеппард...

— Никогда не просил о кредитах для себя и не выступал в качестве просителя за других, — закончил я за него.

— Требование денег, — произнес инспектор с задумчивым видом. — Вполне возможно, что это очень важная улика. — Он повернулся к дворецкому: — Вы сказали, Паркер, что никого не впускали вечером через главный вход?

— Именно так я и сказал, сэр.

— Тогда у меня нет сомнений, что мистер Экройд сам впустил незнакомца. Но я не совсем понимаю...

На несколько минут инспектор погрузился в какие-то размышления.

— Одно совершенно ясно, — сказал он наконец, возвращаясь к действительности. — В девять тридцать мистер Экройд был жив и здоров. И это последний момент, в который, как мы уверены, он был жив.

Паркер виновато покашлял, и инспектор мгновенно перенес все свое внимание на дворецкого.

— Ну что еще? — резко спросил он.

— Если позволите, сэр... Прошу прощения, но мисс Флора виделась с ним после этого.

— Мисс Флора?

— Да, сэр. Думаю, что это было где-то без четверти десять. И уже после этого она еще раз сказала мне, что мистер Экройд не хочет, чтобы его ночью беспокоили.

— Он что, послал ее к вам с этим сообщением?

— Не совсем так, сэр. Я шел с подносом, на котором стояли виски и содовая, когда из кабинета вышла мисс Флора. Она остановила меня и передала, что ее дядя не хочет, чтобы его беспокоили.

Теперь инспектор смотрел на дворецкого с гораздо большим вниманием, чем раньше.

— Но ведь вам же уже говорили, что мистер Экройд не хочет, чтобы его беспокоили, не так ли?

— Да, сэр. Правильно, сэр. Именно так, сэр. — Дворецкий стал заикаться, и руки у него задрожали.

— И тем не менее вы собирались его побеспокоить?

— Я забыл об этом, сэр. То есть я хочу сказать, что всегда приношу ему виски об эту пору, сэр, и спрашиваю, не нужно ли ему еще что-нибудь. Так что я делал все это автоматически, даже не думая.

Именно в этот момент мне пришло в голову, что Паркер что-то слишком сильно нервничает. Этот человек трясся и корчился с ног до головы.

— Гм-м, — промычал инспектор. — Мне необходимо немедленно увидеть мисс Экройд. Давайте пока оставим в этой комнате все как есть. Я вернусь сюда после того, как услышу то, что расскажет мне мисс Экройд. Просто на всякий случай закрою и запру окно.

Закончив эти предосторожности, он вышел в холл, и мы последовали за ним. Посмотрев на небольшую лестницу, инспектор через плечо бросил констеблю:

— Джонс, останьтесь здесь и проследите, чтобы в эту комнату никто не входил.

— Прошу прощения, сэр, — уважительно заметил Паркер, — но если вы запрете дверь в большой холл, то эта часть дома будет полностью изолирована. Эта лестница ведет в спальню и ванную комнату мистера Экройда. С остальным домом сия часть никак не соединяется. Когда-то туда вела дверь, но мистер Экройд приказал ее заложить. Он хотел, чтобы его апартаменты были совершенно изолированы.

Для того чтобы все было ясно, я сделал небольшой набросок правого крыла дома. Маленькая лестница, как уже сказал Паркер, ведет в большую спальню, состоявшую из двух комнат, которые позже были переделаны в одну. Рядом с нею расположены ванная и туалет.

Инспектор мгновенно разобрался в архитектуре здания. Мы прошли в большой холл, и он запер дверь, положив ключ себе в карман. Потом негромко отдал несколько распоряжений констеблю, и тот приготовился уехать.

— Нам надо заняться этими следами, — пояснил инспектор. — Но прежде всего я должен переговорить с мисс Экройд. Она была последней, кто видел ее дядю живым. Ее уже поставили в известность?

Реймонд отрицательно покачал головой.

— Тогда и не стоит ей этого говорить. Она лучше ответит на мои вопросы, если не будет расстроена информацией о смерти дяди. Скажите ей, что произошло ограбление и что я прошу ее одеться и спуститься вниз, чтобы ответить на несколько вопросов.

Реймонд отправился наверх, чтобы передать просьбу инспектора.

— Мисс Экройд сойдет через минуту, — сказал он, возвратившись. — Я сказал ей именно то, что вы предложили.

Меньше чем через пять минут Флора спустилась по лестнице. Она была закутана в розовое шелковое кимоно и выглядела испуганной и взволнованной.

Инспектор встал ей навстречу.

— Добрый вечер, мисс Экройд, — произнес он светским тоном. — Боюсь, что в доме была совершена попытка ограбления, и я хотел бы, чтобы вы нам немного помогли. Что у нас здесь — бильярдная? Давайте зайдем и присядем.

Флора настороженно села на низкий диван, шедший вдоль всей стены комнаты, и снизу вверх посмотрела на инспектора.

— Я не совсем понимаю. А что было украдено? Что вы хотите от меня услышать?

— А вот что: Паркер сказал, что вы вышли из кабинета вашего дяди без четверти десять. Это правильно?

— Совершенно правильно. Я заходила пожелать ему спокойной ночи.

— И время названо правильно?

— Наверное, что-то около того. Точно сказать не могу. Может быть, даже чуть позже.

— Ваш дядя был один или в комнате еще кто-то был?

— Он был один. Доктор Шеппард к тому времени уже ушел.

— А вы не заметили, окно было закрыто или нет? Флора покачала головой.

— Не могу сказать. Шторы были задернуты.

— Вот именно... Ваш дядя вел себя как обычно?

— По-моему, да.

— А вы не можете рассказать поточнее, что произошло в кабинете?

Флора замолчала на минуту, как будто собиралась с мыслями.

— Я вошла и сказала: «Спокойной ночи, дядя. Я иду спать. Что-то я сегодня устала». Он вроде бы как что-то проворчал, а я наклонилась и поцеловала его, а он еще что-то сказал о том, что мне идет платье, которое было на мне надето. А потом сказал, чтобы я ему не мешала и что он занят. Ну вот я и пошла.

— Он подчеркивал, что не хочет, чтобы ему мешали?

— Ах да, конечно! Совсем забыла. Он произнес: «Скажи Паркеру, что сегодня мне больше ничего не нужно, и пусть он меня больше не беспокоит». С Паркером я столкнулась прямо перед дверью и передала ему распоряжение дяди.

— Вот как, — сказал инспектор.

— А вы не скажете мне, что же все-таки было украдено?

— Мы в этом пока не уверены, — ответил инспектор, поколебавшись.

Неожиданно в глазах девушки появился страх — она посмотрела на полицейского.

— Что случилось? Вы что-то скрываете от меня?

Двигаясь в своей обычной незаметной манере, майор Блант встал между нею и инспектором. Девушка вытянула руку, он взял ее в две свои и стал поглаживать, как будто Флора была маленьким ребенком. Та повернулась к нему — казалось, что его флегматичные, непоколебимые, как скала, манеры обещали ей покой и безопасность.

— У меня плохие новости, Флора, — негромко проговорил майор. — Плохие для всех нас. Ваш дядя Роджер...

— Я слушаю вас...

— Это наверняка окажется для вас шоком. Бедный Роджер мертв.

Флора, с глазами полными ужаса, отпрянула от него.

— Когда? — прошептала она. — Когда?

— Боюсь, что вскоре после того, как вы от него вышли, — мрачно ответил Блант.

Флора поднесла руку к горлу, вскрикнула, и я с трудом успел подхватить ее падающее тело. Она потеряла сознание, и мы с Блантом отнесли ее наверх и уложили в постель. После этого я заставил его разбудить миссис Экройд и рассказать ей все новости. Флора вскоре пришла в себя, и я привел к ней ее мать, предварительно рассказав миссис Экройд, что она должна делать. После этого я поспешил вниз.

Глава 6
ТУНИССКИЙ КИНЖАЛ

С инспектором я столкнулся как раз в тот момент, когда он выходил с той половины дома, где находилась кухня.

— Как наша молодая леди, доктор?

— Она уже пришла в себя. С нею ее мать.

— Вот и хорошо. Я опрашивал слуг. Все они утверждают, что сегодня никто не входил в дом через черный вход. Ваше описание того незнакомца довольно туманное — может быть, вспомните что-то более определенное, чтобы было от чего отталкиваться?

— Боюсь, что не смогу, — с сожалением ответил я. — Понимаете, ночь была темная, а у этого парня воротник был поднят, а шляпа натянута до самых бровей.

— Гм-м, — сказал инспектор. — Создается впечатление, что он хотел скрыть свое лицо. Вы уверены, что не знаете его?

Ответил я отрицательно, но не так уверенно, как мне хотелось бы. Я помнил, что в тот момент голос того типа показался мне знакомым. Именно это я и попытался объяснить инспектору — правда, вышло у меня это довольно сумбурно.

— Вы говорите, что это был грубый голос необразованного человека?

Я согласно кивнул, но тут мне пришло в голову, что грубость его была преувеличена, как будто наиграна. Если мужчина, как думает инспектор, старался скрыть свое лицо, то он вполне мог попытаться изменить голос.

— Не пройдете ли вы еще раз в кабинет, доктор? Я хочу задать вам пару вопросов.

Я согласился, инспектор Дэвис отпер дверь холла, мы прошли внутрь, и он запер дверь за собой.

— Мы же не хотим, чтобы нам мешали, — мрачно заметил он. — И не хотим, чтобы нас подслушивали. Что это за история с шантажом?

— С шантажом? — воскликнул я, совершенно потрясенный.

— Это что, плод фантазии Паркера или за этим действительно что-то стоит?

— Если Паркер что-то слышал о шантаже, то он должен был подслушивать под дверью, буквально прилипнув ухом к дверной скважине.

Дэвис согласно кивнул.

— Скорее всего, вы правы. Понимаете, я задал несколько вопросов о том, что Паркер делал в течение вечера. Сказать по правде, мне его манеры не очень нравятся. Этот человек что-то знает. Когда я стал задавать ему вопросы с пристрастием, он заволновался и выдал какую-то маловразумительную историю про какой-то шантаж.

Я мгновенно принял решение.

— Рад, что вы об этом сами заговорили, — сказал я. — Я никак не мог решить, рассказывать ли все как на духу или нет. Я почти уже решил все вам рассказать, но ждал подходящего случая. Так что слушайте...

И я рассказал ему обо всем, что случилось вечером, так же, как я записал все это здесь. Инспектор с интересом слушал, время от времени задавая вопросы.

— Самая невероятная история из тех, которые мне доводилось слышать, — сказал он, когда я закончил. — И вы говорите, что это письмо бесследно исчезло? Дела действительно плохи — очень плохи. Это дает то, чего нам не хватало с самого начала, — мотив.

— Понимаю, — кивнул я.

— Вы говорите, что мистер Экройд намекнул на то, что подозревает кого-то из своих домашних? Это, знаете ли, довольно широкое определение...

— А вы не думаете, что сам Паркер может быть тем человеком, который нам нужен? — предположил я.

— Здорово похоже на то. Очевидно, что, когда вы вышли, он подслушивал под дверью. А когда мисс Экройд позже столкнулась с ним, он как раз собирался войти в кабинет. А что, если предположить, что он таки вошел в него, когда она скрылась из вида? Ударил Экройда кинжалом, запер дверь изнутри, открыл окно, выбрался через него из кабинета и вошел в дом через черный ход, который заранее оставил открытым... Как вам такой вариант?

— В нем есть только один недостаток, — медленно заметил я. — Если Экройд продолжил чтение письма сразу после того, как я ушел — а именно это он и собирался сделать, — то ему не было смысла сидеть и размышлять целый час. Он бы сразу же вызвал Паркера, предъявил бы ему обвинения, и тогда разразился бы полноценный скандал. Не забывайте, что Экройд был человеком холерического темперамента.

— А может быть, он не сразу взялся за письмо? — предположил инспектор. — Мы же знаем, что у него кто-то был в половине десятого. Если этот посетитель появился так быстро после вашего ухода, а после того, как он ушел, появилась мисс Экройд со своим «спокойной ночи», то он не мог бы заняться письмом раньше десяти часов.

— А как же телефонный звонок?

— Звонил Паркер — тут никакого сомнения. Он сделал это, вероятно, еще до того, как запер дверь и открыл окно. А потом психанул или запаниковал и решил полностью отрицать, что ему что-то известно. Так все и произошло, можете мне поверить.

— Н-у-у-у, могло быть и так, — сказал я с сомнением.

— В любом случае правду о телефонном звонке мы сможем узнать на коммутаторе. Если звонили отсюда, то вряд ли это мог сделать кто-то, кроме Паркера. И если это так, то он наш человек. Но никому ни слова — мы не должны пугать его до того, как у нас на руках будут все улики. Я позабочусь о том, чтобы он ничего не заподозрил. Для всех же — мы разрабатываем вашего таинственного незнакомца.

Инспектор встал со стула возле письменного стола, на котором сидел верхом, и подошел к неподвижному телу в кресле у камина.

— Оружие тоже должно нам что-то дать, — сказал он, подняв глаза, — оно какое-то совсем неизвестное, настоящий раритет — сразу видно.

Полицейский наклонился, внимательно рассматривая ручку кинжала, и я услышал, как он что-то удовлетворенно промычал. Потом очень осторожно взялся за лезвие чуть ниже самой рукоятки, аккуратно вынул его из раны и, все еще стараясь не дотрагиваться до рукоятки, положил кинжал в широкую китайскую вазу, украшавшую камин.

— Да, — сказал он, кивнув на кинжал. — Настоящее произведение искусства. Таких, должно быть, не так-то уж и много на свете.

Это был действительно изумительный по красоте кинжал. Узкое изогнутое лезвие; ручка, сделанная из перевитых кусков разных металлов, на создание которой ушла масса времени и терпения... Инспектор осторожно попробовал лезвие пальцем, проверил его остроту и состроил уважительную гримасу.

— Боже, как бритва! — воскликнул он. — Даже ребенок вполне мог воткнуть его во взрослого мужчину — и он вошел бы как нож в масло... Опасная игрушка для того, чтобы держать ее в доме.

— Могу я теперь осмотреть тело? — спросил я.

Инспектор кивнул:

— Приступайте.

Я тщательно осмотрел труп.

— Ну и?.. — спросил полицейский, когда я закончил.

— Не буду мучить вас терминологией, — сказал я, — это мы оставим для досудебного расследования. Удар был нанесен правшой, который стоял у него за спиной, и смерть наступила практически мгновенно. Судя по выражению на лице убитого, можно предположить, что удар был нанесен совершенно неожиданно. Возможно, он умер, так и не поняв, кто на него напал.

— Дворецкие умеют ходить неслышно, как кошки, — заметил инспектор Дэвис. — Думаю, что в этом преступлении не так уж много загадок. Взгляните на ручку этого кинжала.

Я взглянул.

— Может быть, вы их и не замечаете, но *я-то их хорошо вижу*, — он понизил голос. — *Отпечатки пальцев рук!*

Он отошел на шаг, чтобы полюбоваться эффектом, который произвели его слова.

— Да, — мягко согласился я. — Мне это тоже пришло в голову.

Не понимаю, почему некоторые люди принимают меня за полного идиота. В конце концов, я читаю детективы, газеты и считаю себя человеком вполне обычных способностей. Вот если б на рукоятке остались отпечатки ног, тогда это было бы необычно, и я с удовольствием выразил бы свои удивление и восхищение.

Мне показалось, что инспектор обиделся на меня из-за того, что я не продемонстрировал должного восторга. Он взял китайскую вазу и предложил мне пройти вместе с ним в бильярдную.

— Хочу узнать, может быть, мистер Реймонд сможет нам что-то рассказать об этом кинжале, — пояснил он.

Опять заперев за собой дверь в холл, мы прошли в бильярдную, где и нашли Джоффри Реймонда. Инспектор показал ему свой трофей.

— Вы видели его раньше, мистер Реймонд?

— Знаете, мне кажется — я почти в этом уверен, — что эту безделушку подарил мистеру Экройду майор Блант. Она из Марокко... хотя нет, из Туниса. Так убийство было совершено этим кинжалом? Просто невероятно, и в то же время трудно предположить, что существуют два одинаковых кинжала... Может быть, стоит позвать майора Бланта?

И не дожидаясь ответа, он быстро вышел.

— Очень приятный молодой человек, — заметил инспектор. — Видно, что честный и искренний.

Я согласился с ним. За те два года, что Джоффри Реймонд служил секретарем у Экройда, я ни разу не видел его раздраженным или потерявшим терпение. Кроме того, я знал, что он очень хороший секретарь.

Через пару минут Реймонд вернулся в сопровождении Бланта и взволнованно произнес:

— Я был прав. Это *действительно* тунисский кинжал.

— Но ведь майор Блант его еще не видел, — возразил инспектор.

— Я увидел его в тот момент, когда вошел в кабинет, — совершенно спокойно сказал майор.

— Значит, вы его узнали?

Блант кивнул.

— И вы ничего о нем не сказали, — в голосе инспектора появились нотки подозрительности.

— Момент был неподходящим, — пояснил майор. — Масса неприятностей в жизни происходит из-за того, что кто-то говорит что-то в самый неподходящий момент.

Он равнодушно встретился взглядом с инспектором. Последний наконец крякнул и опустил глаза.

— Вы в этом абсолютно уверены, сэр? — спросил он, поднося кинжал поближе к Бланту. — Вы можете это утверждать?

— Абсолютно. Никаких сомнений.

— А где обычно находилось это... эта безделушка? Вы можете сообщить мне это, сэр?

На сей раз ответил секретарь:

— Он лежал в витрине, в гостиной.

— Что? — воскликнул я.

Все посмотрели на меня.

— В чем дело, доктор? — спросил инспектор подбадривающим тоном. — Так в чем же? — повторил он, все еще ожидая, что я ему скажу.

— Да так, просто ерунда какая-то, — ответил я извиняющимся тоном. — Когда я вечером приехал на обед, то услышал, как кто-то закрыл верхнюю крышку витрины в гостиной.

На лице у инспектора появились скепсис и подозрение.

— А почему вы решили, что это была крышка витрины?

Тогда мне пришлось все объяснить с подробностями. Это было долгое и нудное объяснение, которого я бы с удовольствием избежал, если б смог.

Инспектор выслушал его до конца.

— А кинжал лежал в витрине, когда вы рассматривали ее содержимое? — спросил он.

— Не знаю, — ответил я. — Не помню, чтобы я обратил на него внимание, но, вполне возможно, что он там был.

— Нам лучше пригласить сюда домоправительницу, — сказал инспектор и нажал на кнопку звонка.

Через несколько минут в комнату вошла мисс Рассел, приглашенная Паркером.

— Не думаю, что я вообще подходила к этой витрине, — ответила она на вопрос инспектора. — Меня интересовало, нет ли в вазах увядших цветов... Ах нет, теперь я вспомнила: крышка витрины была открыта, а это непорядок, поэтому я закрыла ее, проходя мимо.

И она с вызовом посмотрела на полицейского.

— Понятно, — сказал инспектор. — Так вы можете сказать мне, был ли в витрине кинжал?

Рассел спокойно посмотрела на оружие.

— Не могу сказать, что я в этом уверена, — ответила она. — Я не останавливалась. Я знала, что в

80 любую минуту могут появиться члены семьи, и поэтому хотела побыстрей уйти.

— Благодарю вас, — поблагодарил ее инспектор.

Казалось, что он колеблется, стоит ли допрашивать ее дальше, но мисс Рассел восприняла эти его слова как разрешение уйти и выскользнула из комнаты.

— Настоящая ведьма, — заметил Дэвис, провожая ее взглядом. — Итак, дайте подумать... Доктор, мне кажется, это вы говорили, что витрина стоит возле одного из окон?

Вместо меня ответил Реймонд:

— Да, у левого окна.

— А окно было открыто?

— Они оба были распахнуты.

— Что ж, думаю, что нам больше не стоит терять время на этот вопрос. Кто-то — я просто называю его «кто-то» — мог достать кинжал в любое удобное для него время, и нам совершенно неважно, когда точно он это сделал. Мистер Реймонд, завтра утром я вернусь с главным констеблем[1]. До этого времени ключ от двери останется у меня. Я хочу, чтобы полковник Мелроуз увидел все так, как оно есть сейчас. Я случайно слышал, что сегодня он обедает в другой части графства и, скорее всего, останется там ночевать...

Мы все увидели, как инспектор тщательно упаковывает китайскую вазу с лежащим в ней кинжалом.

— Здесь необходима большая аккуратность, —

---

[1] Должность начальника полиции города (за исключением Лондона) или графства.

пояснил он. — Полагаю, что это будет наша важнейшая улика.

Несколько минут спустя, когда я выходил из бильярдной вместе с Реймондом, молодой человек весело хихикнул.

Я почувствовал его руку у себя на предплечье и посмотрел, куда он смотрит.

Инспектор Дэвис выяснял мнение Паркера по поводу какого-то карманного ежедневника, который постоянно совал ему в руки.

— Это слишком очевидно, — пробормотал мой спутник. — Значит, Паркер у нас главный подозреваемый, правильно? Может быть, нам тоже стоит обеспечить инспектора нашими отпечатками пальцев?

Из подноса с визитными карточками он взял две, протер их шелковым платком и протянул одну мне, а вторую оставил себе. Потом с улыбкой вручил их офицеру полиции.

— Сувениры, — пояснил он. — Номер один — от доктора Шеппарда, номер два — от вашего покорного слуги. Еще один, от майора Бланта, будет передан вам утром.

Молодость всегда жизнерадостна по своей сути. Даже жестокое убийство его друга и хозяина не смогло надолго расстроить Джоффри Реймонда. Может быть, так и должно быть — не знаю... Сам я уже давно потерял способность быстро восстанавливать душевные силы.

Так как было уже очень поздно, я надеялся, что Кэролайн давно в постели. Плохо же я знаю свою сестрицу...

Меня ждала чашка горячего шоколада, и, пока я ее пил, она вытянула из меня все подробности про-

82 исшедшего. Я ничего не сказал о шантаже, а сосредоточился на подробностях убийства.

— Полиция подозревает Паркера, — сказал я, вставая и собираясь отправиться в спальню. — Все улики указывают на него.

— Паркер! — фыркнула моя сестра. — Полная чепуха. Этот инспектор, должно быть, полный идиот. Как же, Паркер!.. Только не надо делать из меня дуру.

И после этого невразумительного высказывания мы направились спать.

Глава 7
Я УЗНАЮ ПРОФЕССИЮ
СВОЕГО НОВОГО СОСЕДА

На следующее утро я постарался побыстрее закончить со своим утренним обходом. Извиняло меня только то, что в то время у меня не было никаких сложных случаев. Когда я вернулся, Кэролайн ждала меня в холле.

— К тебе пришла мисс Экройд, — объявила она взволнованным шепотом.

— Что? — Я постарался как можно лучше скрыть свое удивление.

— Ей не терпится тебя увидеть. Она ждет уже полчаса.

Кэролайн направилась в нашу маленькую гостиную, и я пошел за нею.

Флора сидела на софе, стоявшей возле окна. Одетая в черное, она нервно сплетала и расплетала пальцы рук. Я был шокирован тем, как она выглядела. Но хотя в ее лице не было ни кровинки, Флора вела себя решительно и твердо, насколько это было возможно.

— Доктор Шеппард, могу я попросить вас о помощи?

— Ну конечно, он вам поможет, милочка, — ответила Кэролайн.

Мне показалось, что Флора была не очень рада, что при нашей беседе присутствует моя сестра.

84   Я был уверен, что она с большим удовольствием побеседовала бы со мной наедине.

Но Флора не хотела даром терять время и поэтому смирилась с этим.

— Я хочу, чтобы вы сходили со мной в «Ларчиз».

— В «Ларчиз»? — переспросил я, сильно удивленный.

— Чтобы взглянуть на этого смешного маленького мужчинку? — воскликнула Кэролайн.

— Да. Вы же знаете, кто он такой, правда?

— Мы полагали, — ответил я, — что он парикмахер на заслуженном отдыхе.

Голубые глаза Флоры стали похожи на блюдца.

— Да ведь это сам Эркюль Пуаро! Вы же знаете, о ком я говорю, — это тот самый частный детектив. Говорят, что он успешно раскрывал самые сложные преступления, прямо как в детективных романах. Год назад месье Пуаро ушел на покой и переехал жить сюда. Дядя знал, кто он такой, но обещал никому не говорить, потому что месье Пуаро жаждал покоя и не хотел, чтобы его беспокоили.

— Так вот кто это, — медленно произнес я.

— Вы о нем, конечно, слышали?

— Хоть Кэролайн и называет меня отсталым человеком, — заметил я, — но даже я о нем слышал.

— Невероятно, — влезла в разговор Кэролайн.

Не знаю, что она имела в виду — вероятно, свою собственную неспособность узнать истину.

— И вы хотите с ним увидеться? — спросил я все так же медленно. — Но зачем?

— Конечно, для того, чтобы уговорить его взяться за это дело, — резко заметила Кэролайн. — Не будь таким глупцом, Джеймс.

Глупцом я не был никогда, просто сестрица иногда не понимает цели моих действий.

— Вы что, не уверены в инспекторе Дэвисе? —
продолжил я свои вопросы.

— Конечно, она не уверена, — ответила Кэролайн. — Я, кстати, тоже.

Любой, услышавший этот разговор, решил бы, что убили дядю Кэролайн.

— А почему вы думаете, что он возьмется за это дело? — поинтересовался я. — Вы же сами сказали, что он ушел на покой.

— Вот об этом и речь, — просто сказала Флора. — Мне необходимо его уговорить.

— И вы уверены, что поступаете правильно? — серьезно спросил я.

— Ну конечно, она уверена, — опять влезла в разговор Кэролайн. — Если хотите, я и сама могу с вами сходить, милочка.

— Если вы не возражаете, то я бы предпочла, чтобы со мною сходил доктор, мисс Шеппард, — ответила Флора.

Девушка понимала, что в некоторых случаях полезно объясниться без всяких обиняков. Кэролайн все равно не поняла бы никаких намеков.

— Понимаете, — продолжила она, смягчая свою прямоту врожденным тактом, — доктор Шеппард — врач, и он нашел тело, поэтому сможет посвятить месье Пуаро во все детали.

— Да, — ворчливо согласилась моя сестрица, — это я понимаю.

Я пару раз прошелся из конца в конец комнаты и сказал серьезным тоном:

— Флора, послушайте меня — не вмешивайте этого детектива в ваше дело.

Флора вскочила на ноги, ее щеки порозовели.

— Я знаю, почему вы это говорите! — воскликнула она. — Но тем не менее я хочу, чтобы он принял в нем участие. Вы просто боитесь! А я — нет. Я знаю Ральфа лучше вас.

— Ральфа? — повторила за ней Кэролайн. — А при чем здесь Ральф?

Ни один из нас не обратил на нее внимания.

— Ральф может быть слабым человеком, — продолжила Флора. — В прошлом он мог совершать глупые поступки — возможно, даже дурные поступки, — но он не способен на убийство.

— Нет, нет, — воскликнул я в ответ, — мне такое даже в голову не приходило!

— А тогда почему вчера вечером вы появились в «Трех кабанах»? — потребовала ответа Флора. — По пути домой, уже после того, как было обнаружено тело дяди?

Я мгновенно замолчал, так как надеялся, что мой визит прошел незамеченным.

— Откуда вы об этом знаете? — спросил я ее, в свою очередь.

— Я сама была там сегодня утром, — ответила девушка. — От слуг я узнала, что Ральф остановился именно там...

Я прервал ее:

— А вы что, вообще не знали, что он в Кингс-Эббот?

— Нет. Я была ошеломлена и никак не могла в это поверить. Поэтому пошла туда и попросила пригласить его. Но мне ответили то же, что, по-видимому, ответили вам вчера вечером: что он вышел вчера около девяти вечера и... и больше не возвращался.

Она дерзко взглянула на меня и, как будто отвечая на мой немой вопрос, вдруг разразилась тирадой:

— Ну почему, почему это должен быть он?! Он мог просто уехать — куда угодно... Даже мог вернуться назад в Лондон.

— Оставив свои вещи в гостинице? — как можно мягче спросил я.

Девушка топнула ногой.

— А мне все равно! Я знаю, что этому есть какое-то простое объяснение.

— И поэтому вы хотите встретиться с Эркюлем Пуаро? А может быть, лучше оставить все как есть? Полиция ведь ни в чем не подозревает Ральфа, правильно? Они работают над совсем другой версией.

— В этом-то все и дело! — воскликнула Флора. — Именно его они и *подозревают*. Сегодня утром из Кранчестера приехал инспектор Рэглан, ужасный, скользкий коротышка... И я узнала, что он тоже был в «Трех кабанах», еще до меня. Мне рассказали о том, что он там был, и о том, какие вопросы задавал. Он думает, что убил Ральф.

— Если это так, то со вчерашнего вечера многое изменилось, — задумчиво сказал я. — Так, значит, он не верит в теорию Дэвиса, что убийца — Паркер?

— Как же, Паркер, — подала голос моя сестрица и фыркнула.

Флора подошла ко мне и взяла меня за руку.

— Прошу вас, доктор Шеппард, давайте немедленно отправимся к месье Пуаро. Он выяснит правду.

— Моя дорогая Флора, — мягко сказал я, кладя свою руку поверх ее, — а вы уверены, что мы хотим узнать именно правду?

Она взглянула на меня и с серьезным видом кивнула.

— Вы не уверены, — сказала она, — а я уверена. Я знаю Ральфа лучше, чем вы.

— Конечно, он никого не убивал, — опять подала голос Кэролайн, которой очень нелегко дава-

88 лось молчание. — Ральф может быть экстравагантным, но он милый мальчик, и у него прекрасные манеры.

Я хотел было сказать Кэролайн, что многие убийцы обладали прекрасными манерами, но присутствие Флоры остановило меня. Поскольку девушка уже приняла твердое решение, то мне оставалось только согласиться с нею, и мы немедленно отправились, успев выйти из дома до того, как моя сестрица затянула свой очередной монолог, начинающийся с ее любимого «ну конечно...».

Дверь нам открыла старая женщина в громадной бретонской шляпе[1]. Оказалось, что месье Пуаро был дома.

Нас проводили в небольшую гостиную, обставленную с математической симметричностью, и через пару минут к нам вышел мой вчерашний знакомый.

— Месье доктор, — улыбнулся он, — мадемуазель, — поклонился Флоре.

— Возможно, — начал я, — вы уже слышали о трагедии, произошедшей вчера вечером.

Лицо Пуаро помрачнело.

— Я, конечно, уже слышал. Это ужасно. Мадемуазель, приношу вам свои соболезнования. Что я могу для вас сделать?

— Мисс Экройд, — продолжил я, — хочет, чтобы вы... чтобы вы...

— Нашли убийцу, — четко закончила Флора.

— Понятно, — сказал маленький детектив. — Но ведь это может сделать и полиция, не правда ли?

— Они могут совершить ошибку, — заметила девушка. — Они ее уже почти совершили, как мне

---

[1] Невысокая шляпа со слегка загнутыми полями.

кажется. Месье Пуаро, помогите нам. Если... если вопрос упирается в деньги...

Детектив поднял руку.

— Только не это, умоляю вас, мадемуазель. Это не значит, что деньги меня не интересуют. — В глазах у него промелькнул огонек. — Деньги значат для меня много, и так было всегда. Нет, если я займусь этим делом, то вы должны четко понимать одну вещь — *я доведу это дело до конца*. Запомните, что хороший пес никогда не бросает след на полдороге! Потом вы можете пожалеть, что не оставили все местной полиции.

— Мне нужна правда, — сказала Флора, глядя ему прямо в глаза.

— Вся правда?

— Вся.

— Тогда я согласен, — негромко произнес маленький человечек. — Надеюсь, что вам не придется жалеть об этих своих словах. А теперь сообщите мне обстоятельства дела.

— Наверное, это лучше сделает доктор Шеппард, — предложила Флора. — Он знает гораздо больше меня.

Представленный таким образом, я начал свой подробный рассказ, который включал в себя все факты, ставшие мне известными накануне. Пуаро внимательно слушал, изредка задавая вопросы, но большую часть времени он молчал, уставившись в потолок.

Я закончил свой рассказ на том месте, когда мы с инспектором покинули «Фернли-парк».

— А теперь, — сказала Флора, когда я закончил, — расскажите ему о Ральфе.

Я заколебался, но ее повелительный взгляд заставил меня продолжить.

— Так вы зашли в эту гостиницу — в «Три кабана» — вчера вечером по пути домой? — спросил Пуаро, когда я окончил свою историю. — И во сколько
именно вы там были?

Я сделал паузу, тщательно подбирая слова.

— Я сразу подумал, что кто-то должен сообщить молодому человеку о смерти его отчима. А когда я вышел
из «Фернли», то мне пришло в голову, что никто, кроме меня и мистера Экройда, не знает о том, что он в деревне.

Пуаро кивнул.

— Да, понятно. И это была единственная причина, по которой вы к нему зашли?

— Это была единственная причина, — мой ответ
прозвучал натянуто.

— А не хотели вы — скажем так — убедиться в
невиновности *ce jeune homme*? [1]

— Убедиться?..

— Думаю, месье доктор, вы меня очень хорошо
понимаете, хоть и притворяетесь в обратном. Для
вас было бы большим облегчением найти капитана
Пейтона в гостинице и узнать, что он весь вечер никуда не выходил.

— Вы не правы, — резко возразил я.

Маленький детектив мрачно покачал головой.

— Вы не верите мне так, как верит мне мисс
Флора, — заметил он. — Но не в этом дело. Мы
должны понять следующее — капитан Пейтон исчез, и в создавшихся обстоятельствах этому надо найти объяснение. Не буду скрывать, что дело
очень серьезное. Хотя объяснение всему этому может быть самое простое.

— И я не перестаю это повторять, — с надеждой
произнесла Флора.

---

[1] Этого молодого человека (*фр.*).

Больше этой темы Пуаро не касался.

Вместо этого он решил немедленно отправиться в местный полицейский участок. Детектив также предложил Флоре вернуться домой, а мне — сопроводить его и представить офицеру, ведущему расследование.

Так мы и поступили. Инспектора Дэвиса мы встретили возле участка — вид у него был очень хмурый. Рядом с ним стояли полковник Мелроуз — главный констебль — и еще один мужчина, в котором я, вспомнив слово Флоры «скользкий», узнал инспектора Рэглана из Кранчестера.

Я достаточно хорошо знаю полковника Мелроуза, поэтому представил ему Пуаро и объяснил сложившуюся ситуацию. Было видно, что главный констебль очень раздражен, а инспектор Рэглан стал чернее тучи. Дэвис, напротив, слегка воспрянул духом, увидев раздражение своих старших офицеров.

— В деле нет ничего сложного, — сказал Рэглан, — и нет никакой необходимости подключать к нему любителей. Можно сказать, что уже вчера вечером любой дурак мог бы понять, что к чему, и нам бы не пришлось потерять двенадцать часов.

Тут он бросил мстительный взгляд на беднягу Дэвиса, который принял его с абсолютной бесстрастностью.

— Думаю, что семья мистера Экройда вольна делать то, что считает нужным, — вмешался в разговор полковник Мелроуз. — Но официальное расследование ни в коем случае не должно от этого страдать. Естественно, что я наслышан о безукоризненной репутации месье Пуаро, — добавил он светским тоном.

— К сожалению, у полиции нет возможности себя рекламировать, — вставил Рэглан.

Ситуацию спас Пуаро.

— Дело в том, что я ушел на покой, — сказал он. — И не думал, что мне придется заняться новым преступлением. Кроме того, я панически боюсь публичности. И даже буду вынужден просить, чтобы в случае, если мне удастся внести свою скромную лепту в раскрытие этого преступления, мое имя нигде не упоминалось.

Физиономия Рэглана слегка посветлела.

— Я наслышан о ваших выдающихся успехах, — заметил полковник, оттаивая.

— У меня большой опыт, — негромко согласился Пуаро, — но большинством своих успехов я обязан полиции. Я очень высокого мнения об английской полиции. И если инспектор Рэглан позволит мне быть его помощником, для меня это будет большая честь и я буду этим польщен.

Физиономия инспектора стала еще приветливее.

Полковник Мелроуз отвел меня в сторону.

— Насколько я слышал, этот парень действительно достиг выдающихся высот, — негромко произнес он. — Мы, естественно, хотели бы обойтись без Скотленд-Ярда. Рэглан ведет себя очень уверенно, но я не уверен, что полностью с ним согласен. Дело в том, что я... э-э-э... знаю всех заинтересованных лиц несколько лучше, чем он. Мне кажется, что лавры этого парня не интересуют, правильно? Как вы думаете, мы можем рассчитывать на его скромность?

— К вящей славе инспектора Рэглана, — торжественно провозгласил я.

— Ну что же, — сказал полковник громким голосом, — мы должны посвятить вас в суть последних событий, месье Пуаро.

— Я благодарю вас, — ответил сыщик. — Мой

друг, доктор Шеппард, говорил что-то о том, что вы подозреваете дворецкого?

— Полная ерунда, — немедленно вмешался в разговор Рэглан. — Эти привилегированные слуги всегда так паникуют, что любое их движение становится подозрительным.

— А отпечатки пальцев? — напомнил я.

— Никакого отношения к Паркеру не имеют, — инспектор слегка улыбнулся и добавил: — Так же, как и к вам, и к мистеру Реймонду.

— А к капитану Пейтону? — негромко поинтересовался Пуаро.

Я был восхищен, с каким искусством он взял быка за рога. В глазах инспектора появилось уважение.

— Вижу, что вы не любите рассусоливать, мистер Пуаро... Уверен, что мы с удовольствием поработаем вместе. Мы снимем отпечатки пальцев у этого молодого человека, как только задержим его.

— И все-таки я не могу избавиться от мысли, что здесь вы ошибаетесь, инспектор, — произнес полковник Мелроуз. — Мы знаем Ральфа Пейтона с детства. Он никогда не опустится до убийства.

— Может быть, и нет, — произнес инспектор бесцветным голосом.

— А что у вас есть против него? — поинтересовался я.

— Вчера вечером он вышел из гостиницы ровно в девять часов. Около девяти тридцати его видели в окрестностях «Фернли-парк». А это уже настораживает. Говорят, что он испытывает серьезные денежные затруднения. Здесь у меня пара его туфель с резиновыми шипами на подошвах. У него были две, почти одинаковые, пары. Сейчас я собираюсь сравнить их со следами на подоконнике. Мы поставили там констебля, чтобы никто не попытался их нарушить.

— Мы как раз направляемся туда, — сказал полковник. — Не согласитесь ли вы с месье Пуаро проехать вместе с нами?

Мы согласились и отправились на место преступления в машине полковника. Инспектору не терпелось заняться следами, и он попросил высадить его возле сторожки привратника. Где-то посередине от подъездной аллеи отходила тропинка, которая вела к террасе и окну кабинета Экройда.

— Может быть, вы хотите пройти с инспектором, месье Пуаро? — спросил старший констебль. — Или предпочитаете обследовать кабинет?

Детектив решил в пользу кабинета. Дверь нам открыл Паркер. К нему вернулась его характерная чопорная манера поведения — было видно, что он уже смог оправиться от потрясений прошедшего вечера.

Полковник Мелроуз достал ключ, открыл дверь в холл и пригласил нас пройти внутрь кабинета.

— В этой комнате ничего не изменилось со вчерашнего вечера, месье Пуаро. Мы только убрали тело.

— А где нашли тело?

Как можно точнее я описал положение тела мистера Экройда. Кресло все еще стояло перед камином.

Пуаро подошел и уселся в него.

— То голубое письмо, о котором вы мне рассказывали... покажите точно, где оно лежало, когда вы выходили из кабинета.

— Мистер Экройд положил его на маленький столик, справа от себя.

Детектив кивнул.

— Кроме него, все остальное на своих местах?

— Да... мне кажется, что да.

— Полковник Мелроуз, не будете ли вы так любезны присесть на минутку в это кресло? Благодарю вас. А теперь, месье доктор, не могли бы вы показать мне, как точно располагался кинжал?

Я показал, а маленький детектив в это время оставался у двери.

— Значит, рукоятка кинжала была хорошо видна прямо от двери и вы с Паркером смогли ее сразу заметить?

— Да.

Затем Пуаро подошел к окну.

— Когда вы обнаружили тело, в комнате, естественно, горел электрический свет? — спросил он через плечо.

Я подтвердил это и подошел туда, где он изучал следы на подоконнике.

— Резиновые шипы расположены так же, как и на туфлях капитана Пейтона, — негромко произнес детектив.

Затем он вернулся на середину кабинета, еще раз внимательно осмотрел все своим острым, тренированным взглядом и спросил после паузы:

— А вы человек внимательный, доктор Шеппард?

— Думаю, что да, — с удивлением ответил я.

— Как я вижу, в камине горел огонь. Когда вы взломали дверь и обнаружили мертвого мистера Экройда, каким был огонь? Почти погасшим?

В моем смехе прозвучала досада.

— Знаете, я... я не могу ответить на этот вопрос. Я не заметил. Может быть, мистер Реймонд или майор Блант...

Маленький человек, стоявший против меня с бледной улыбкой на губах, покачал головой.

— В любом деле очень важна система. Я был не прав, задав вам этот вопрос. Каждый человек должен отвечать за что-то свое. Вы можете рассказать мне о том, в каком состоянии находится тот или иной пациент — здесь вы вряд ли пропустите малейшую деталь. Если мне нужна информация о бумагах на рабочем столе, то наверняка мистер Реймонд уже заметил все, достойное внимания. А вот по поводу огня я должен обратиться к человеку, в чьи обязанности входит следить за ним. Вы позволите мне...

Он быстро подошел к камину и нажал на кнопку звонка.

Через пару минут в дверях появился Паркер.

— Я слышал звонок, сэр, — произнес он в замешательстве.

— Входите, Паркер, — сказал полковник Мелроуз. — Этот джентльмен хочет вас кое о чем спросить.

Дворецкий почтительно посмотрел на Пуаро.

— Паркер, — сказал маленький сыщик, — когда вы вчера сломали вместе с доктором Шеппардом дверь и нашли тело вашего хозяина, в каком состоянии был огонь в камине?

Ответ Паркера последовал мгновенно:

— Он почти погас, сэр.

— Ах вот как! — сказал Пуаро, и в его голосе послышался триумф. — Осмотритесь вокруг, мой добрый Паркер, — продолжил он. — Все в этой комнате так же, как и было вчера?

Глаза дворецкого медленно двигались по комнате. Наконец они остановились на окне.

— Шторы были опущены, сэр, и горел электрический свет.

Пуаро одобрительно кивнул.

— Что-нибудь еще?

— Да, сэр. Вот это кресло было выдвинуто чуть дальше. — И Паркер указал на большое древнее кресло, которое стояло слева от двери, между дверью и окном. Для удобства я прилагаю план комнаты, где это кресло обозначено как «старое кресло».

— Покажите, как? — попросил Пуаро.

Дворецкий отодвинул кресло на добрых два фута от стены и повернул его так, что оно смотрело в сторону двери.

— *Voilà ce qui est curieux*[1], — пробормотал Пуаро. — Думаю, что в таком положении желающих сидеть в этом кресле не найдется. Интересно, а кто задвинул его назад? Не вы ли, мой друг?

— Нет, сэр, — ответил Паркер. — Я был слишком расстроен, когда увидел хозяина и все такое.

Детектив посмотрел на меня.

— Значит, вы, доктор?

Я покачал головой.

— Кресло стояло на месте, когда я привел полицию, — добавил Паркер. — В этом я уверен.

— Странно, — повторил Пуаро.

— Значит, его задвинули или Реймонд, или Блант, — предположил я. — А это так важно?

— Это абсолютно неважно, — ответил Пуаро, — и именно поэтому так интересно, — негромко добавил он.

— Прошу простить, джентльмены, — сказал полковник и вышел вместе с дворецким.

— Вы думаете, что Паркер говорит правду? — поинтересовался я у сыщика.

— Что касается кресла — то да. А во всем остальном — я не знаю. Если б вы имели такой же, как у

---

[1] Это уже интересно (*фр.*).

меня, опыт в этих делах, то знали бы, что у всех у них есть один общий момент.

— Какой же? — спросил я с любопытством.

— Все заинтересованные лица имеют свою тайну, которую они хотят во что бы то ни стало скрыть.

— И я тоже? — спросил я с улыбкой.

Пуаро внимательно посмотрел на меня.

— Думаю, что и вы тоже, — спокойно ответил он.

— Но...

— А вы рассказали мне все, что знаете об этом молодом человеке, Пейтоне? — Детектив улыбнулся, увидев, как я покраснел. — Не надо бояться! Я вас ни к чему не принуждаю. В свое время все выяснится.

— Мне бы хотелось побольше узнать о ваших методах, — поспешно заговорил я, стараясь скрыть свое смущение. — Например, при чем здесь пламя в камине?

— Ну, это совсем просто. Вы вышли от Экройда без десяти девять, не так ли?

— Абсолютно точно.

— В тот момент окно было закрыто и заперто, а дверь открыта. В четверть одиннадцатого, когда было обнаружено тело, дверь была заперта, а окно раскрыто. Кто его открыл? Очевидно, что это мог сделать только сам мистер Экройд, и сделать это он мог по одной из двух причин. Или потому, что в комнате стало слишком жарко — но эта причина отпадает, поскольку огонь в камине едва теплился, а вечером здорово похолодало. Вторая причина — таким образом он впустил кого-то в комнату. А если кто-то пришел к нему подобным путем, это значит, что мистер Экройд хорошо знал этого человека, потому что в разговоре с вами он уже высказывал свое беспокойство по поводу окна.

— Как все просто, — заметил я.

— Все просто, если только расположить известные вам факты в соответствии с определенной системой... Теперь нам надо узнать личность того человека, который был здесь вчера в девять тридцать вечера. Все говорит за то, что это человек, которого мистер Экройд впустил через окно, и, хотя мисс Флора видела Экройда живым после этого, мы не сможем решить эту загадку, пока не узнаем, кто это был. Возможно, что после него окно осталось открытым и через него в дом мог проникнуть убийца; а возможно, этот человек вернулся во второй раз... А-а-а, вот и полковник возвращается!

Мелроуз взволнованно вошел в кабинет.

— Наконец-то отследили телефонный звонок, — сообщил он. — Звонили не отсюда. Звонок раздался в доме доктора Шеппарда в десять пятнадцать вечера, и звонили из будки на станции Кингс-Эббот. А в десять двадцать три ночной почтовый отправляется оттуда в сторону Ливерпуля.

Глава 8
ИНСПЕКТОР РЭГЛАН
ДЕМОНСТРИРУЕТ УВЕРЕННОСТЬ

Мы посмотрели друг на друга.

— Но вы же опросите присутствовавших на станции? — спросил я.

— Естественно, хотя я и не рассчитываю на положительный результат. Вы же знаете, какая у нас станция.

Я это знаю. Хоть сама Кингс-Эббот — небольшая деревушка, сложилось так, что станция Кингс-Эббот — большой железнодорожный узел. Здесь останавливаются все экспрессы; вагоны расцепляют и перемешивают и составы формируют заново. На станции две или три телефонные будки. В вечернее время сюда, практически один за другим, прибывают три поезда местного назначения, с тем чтобы люди могли пересесть на северный экспресс, который прибывает на станцию в десять девятнадцать вечера, а отправляется в десять двадцать три. В это время на станции царит полный хаос, и шанс, что кто-то обратит внимание на одинокого человека, звонящего по телефону или садящегося в экспресс, практически равен нулю.

— А зачем вообще надо было звонить? — задал вопрос Мелроуз. — Вот что для меня полнейшая загадка. В этом нет никакого смысла.

Пуаро аккуратно поправил китайскую фигурку на одной из книжных полок.

— Будьте уверены, такой смысл был.

— И в чем же он заключается?

— Когда мы узнаем это, узнаем и все остальное. Очень интересное и любопытное дело...

В этих его последних словах промелькнуло что-то совершенно неуловимое. Я почувствовал, что он смотрит на этот случай под каким-то своим углом, и не мог понять, что именно он видит.

Сыщик остановился у окна, глядя на улицу.

— Вы говорите, доктор Шеппард, что незнакомца около ворот вы встретили в девять часов?

Вопрос он задал, не повернувшись ко мне.

— Да, — ответил я. — Как раз пробили часы на церкви.

— И сколько времени ему понадобилось бы, чтобы добраться до дома — например, до этого окна?

— Максимум пять минут. Две или три, если б он свернул на правую от подъездной аллеи дорожку и прошел прямо сюда.

— Но чтобы это сделать, он должен был знать дорогу. Как бы вам это сказать... это должно означать, что он бывал здесь раньше и знает окружающую местность.

— Это верно, — ответил полковник Мелроуз.

— А мы можем как-то выяснить, посещали ли какие-нибудь незнакомцы мистера Экройда за последнюю неделю?

— Это может знать молодой Реймонд, — предположил я.

— Или Паркер, — напомнил полковник Мелроуз.

— *Оu tous les deux*[1], — подвел итог Пуаро, улыбнувшись.

Полковник Мелроуз отправился на поиски Реймонда, а я нажал звонок, чтобы вновь вызвать Паркера.

Полковник в сопровождении молодого секретаря появился практически сразу. Он представил молодого человека маленькому детективу. Джоффри Реймонд, как всегда, был свеж и жизнерадостен. Было видно, что он удивлен и восхищен тем, что познакомился с самим Пуаро.

— А я и не знал, что вы живете среди нас инкогнито, месье Пуаро, — заметил он. — Для меня будет большая честь понаблюдать за тем, как вы работаете... А это что еще такое?

Пуаро стоял налево, рядом с дверью. Сейчас он неожиданно отошел в сторону, и я увидел, что, пока находился спиной к нему, он быстро выдвинул кресло, и теперь оно стояло на том месте, которое указал Паркер.

— Вы что, хотите, чтобы я сидел в этом кресле, пока будете брать у меня кровь на анализ? — с добродушным юмором поинтересовался Реймонд. — В чем, собственно, дело?

— Месье Реймонд, вчера вечером, когда мистера Экройда нашли убитым, это кресло стояло именно так. Потом кто-то задвинул его на место. Это были, случайно, не вы?

— Нет, не я, — ответил секретарь без малейшего колебания. — Я даже не помню, чтобы оно здесь стояло, но если вы так говорите... В любом случае на место его отодвинул кто-то другой. А что, та-

---

[1] Или оба (*фр.*).

ким образом была уничтожена важная улика? Это плохо!

— К убийству это не имеет отношения, — сказал детектив. — Абсолютно никакого отношения. В действительности я хотел спросить вас, месье Реймонд, о другом: за последнюю неделю какие-нибудь незнакомцы посещали мистера Экройда?

Секретарь нахмурил брови и задумался — как раз в этот момент в дверях появился Паркер.

— Нет, — ответил наконец молодой человек. — Не могу вспомнить. А вы, Паркер?

— Простите, сэр?

— Кто-нибудь незнакомый посещал мистера Экройда за последние семь дней?

Дворецкий тоже задумался.

— В среду был один молодой человек, сэр, — вспомнил он наконец. — Как я понимаю, он представлял «Кёртис и Траут».

Нетерпеливым жестом Реймонд отбросил это предположение в сторону.

— Ну да, я помню, но джентльменов интересуют совсем другие незнакомцы... — Секретарь повернулся к Пуаро и пояснил: — Мистер Экройд решил купить диктофон. Это позволило бы нам делать больше работы за меньшее время. Так вот, фирма прислала нам своего представителя, но из этого ничего не получилось. Мистер Экройд так и не решился на покупку.

Пуаро повернулся к дворецкому:

— А вы можете описать мне этого человека, мой добрый Паркер?

— Светловолосый, сэр, невысокого роста. Одет очень аккуратно, в синий костюм из шерсти. Для своего положения — очень респектабельный молодой человек.

Пуаро обратился ко мне:

— Человек, которого вы встретили около ворот, был высокого роста, не так ли?

— Да, — ответил я. — Где-то около шести футов[1].

— Тогда это ничего нам не даст, — объявил маленький бельгиец. — Благодарю вас, Паркер.

Дворецкий обратился к Реймонду:

— Только что прибыл мистер Хэммонд, сэр. Он спрашивает, чем может помочь, и еще хотел бы переговорить с вами.

— Я сейчас, — сказал молодой человек и быстро вышел из комнаты.

Пуаро вопросительно посмотрел на главного констебля.

— Это семейный адвокат, месье Пуаро, — пояснил Мелроуз.

— Для молодого Реймонда наступили тяжелые времена, — пробормотал детектив. — Но этот молодой человек кажется мне очень деловым.

— Насколько я помню, мистер Экройд считал его отличным секретарем.

— И сколько он здесь уже работает?

— Кажется, что-то около двух лет.

— Свои обязанности он выполняет очень пунктуально, в этом я ничуть не сомневаюсь. А вот как он проводит свое свободное время? Занимается *le sport*?[2]

— У частных секретарей обычно не так уж много времени на развлечения, — улыбнувшись, отве-

---

[1] Около 180 см.
[2] Спортом (*фр.*)

тил полковник. — Мне кажется, Реймонд играет в гольф. А летом — еще и в теннис.

— А он не посещает круг? То есть, я хочу сказать, лошадиные бега?

— Вы имеете в виду скачки? Нет, мне кажется, что ими он не увлекается.

Пуаро кивнул и, казалось, потерял к беседе всякий интерес. Он медленно обвел взглядом кабинет.

— Думаю, что я увидел все, что должен был увидеть.

Я тоже огляделся.

— Если бы только эти стены могли говорить, — вырвалось у меня.

Пуаро покачал головой.

— Просто языка недостаточно. Должны быть еще глаза и уши, — заметил он. — Но не думайте, что эти старые вещи, — тут детектив дотронулся до книжного шкафа, — абсолютно немы. Со мною они иногда разговаривают — стулья, столы, — и у каждого своя история.

Он повернулся к двери.

— Какая история? — воскликнул я. — И что же они рассказали вам сегодня?

Пуаро оглянулся через плечо и загадочно приподнял одну бровь.

— Открытое окно, — сказал он, — запертая дверь. Кресло, которое, похоже, само себя двигает. Ко все трем у меня только один вопрос — почему? И пока я не услышал на него ответа.

Сыщик покачал головой, надулся и уставился на нас глазами, в которых было что-то дьявольское. Выглядел он смехотворно важно. Мне даже пришла в голову мысль: так ли он хорош как детектив? Может быть, его репутация — это просто комбинация обстоятельств и простого везения?

Думаю, что такая же мысль пришла в голову полковнику Мелроузу, потому что он, нахмурившись, отрывисто спросил:

— Вы хотите еще что-нибудь увидеть, месье Пуаро?

— Может быть, вы будете так добры и покажете мне витрину, из которой взяли орудие убийства? После этого я больше не буду злоупотреблять вашей добротой.

Мы прошли в гостиную, но по дороге полковника остановил констебль. После чуть слышного разговора Мелроуз извинился и оставил нас одних. Я показал Пуаро витрину. Он пару раз поднял ее крышку и позволил ей с шумом закрыться. После этого открыл окно и вышел на террасу. Я последовал за ним.

Инспектор Рэглан как раз показался из-за угла дома и направился к нам. Он выглядел мрачным, но удовлетворенным.

— Ах вот вы где, месье Пуаро, — сказал он. — В этом деле не будет ничего сложного. Мне очень жаль, но этот достаточно молодой человек выбрал не тот путь в жизни.

Лицо Пуаро вытянулось, и он мягко сказал:

— Тогда, боюсь, я ничем не смогу вам помочь.

— Может быть, в следующий раз, — успокоил его инспектор. — Правда, в этом богом забытом уголке убийства случаются не каждый день.

Во взгляде Пуаро появилось восхищение.

— Вы фантастически быстры, — заметил он. — Как же вы подошли к этой задаче, если мне позволено будет задать такой вопрос?

— Прежде всего во всем должна быть система. Я не устаю это повторять — СИСТЕМА!

— Ах вот как! — воскликнул маленький детектив. — Я тоже не устаю это повторять. Система, порядок и маленькие серые клеточки.

— Клеточки? — повторил инспектор, удивленно воззрившись на него.

— Ну да, те маленькие клеточки, из которых состоит ваш мозг, — пояснил бельгиец.

— Ах да, конечно... Ну мы все их используем, я полагаю.

— В большей или меньшей степени, — пробормотал Пуаро. — Кроме того, есть некоторое различие в их качестве. А еще существует психология преступника. Ее тоже не грех изучить.

— Так, значит, и вы, — сказал инспектор, — не смогли пройти мимо этого психоанализа? Знаете, я человек простой...

— Я уверен, что миссис Рэглан не согласится с этим утверждением, — сказал Пуаро, слегка поклонившись.

Немного ошарашенный инспектор поклонился в ответ.

— Вы не понимаете, — сказал он, широко улыбаясь. — Боже, как многое зависит от того, какими словами ты пользуешься! Я рассказываю вам, как взялся за это дело. Прежде всего — система. В последний раз мистера Экройда видела живым его племянница, мисс Флора Экройд, без четверти десять. Это факт номер один, правильно?

— Как скажете.

— Вот я так и говорю. Наш доктор говорит, что в половине одиннадцатого убитый был мертв уже полчаса. Вы это подтверждаете, доктор?

— Конечно, — ответил я. — Полчаса или чуть дольше.

— Отлично. Это указывает нам на те пятнадцать минут, за которые было совершено преступление. Так вот, я составил список всех, кто в это время находился в доме, и серьезно проработал его, записав против каждого имени, где они были и что делали в период с без четверти десять до десяти часов вечера.

Он протянул Пуаро листок бумаги, покрытый аккуратными буквами. Я стал читать через плечо сыщика. Вот что там было написано:

Майор Блант. В бильярдной с мистером Реймондом (подтверждено позже).

Мистер Реймонд. Бильярдная (см. выше).

Миссис Экройд. 9.45 — наблюдает за игрой в бильярд. Отправилась спать в 9.55 (Реймонд и Блант видели, как она поднимается по лестнице).

Мисс Экройд. Прямо из кабинета дяди прошла наверх (подтверждено Паркером и горничной Элси Дейл).

Слуги:

Паркер. Прошел прямо в буфетную (подтверждено домоправительницей мисс Рассел, которая спустилась к нему поговорить и разговаривала не менее десяти минут).

Мисс Рассел. См. выше. В 9.45 беседовала с горничной Элси Дейл на втором этаже.

Урсула Борн (буфетчица[1]). В своей комнате до 9.55. Потом в помещении для слуг.

Миссис Купер (кухарка). В помещении для слуг.

Глэдис Джоунс (вторая горничная). В помещении для слуг.

---

[1] В данном случае имеется в виду горничная, которая прислуживает за столом и убирает в комнатах.

Элси Дейл. Наверху в спальне. Там ее видели мисс Экройд и мисс Рассел.

Мэри Трипп (кухонная прислуга). В помещении для слуг.

— Кухарка работает здесь семь лет, буфетчица — полтора года, Паркер — чуть больше года. Все остальные — новички. Все кажутся вполне достойными людьми, кроме Паркера, в котором есть что-то скользкое.

— Весьма исчерпывающий список, — сказал Пуаро, возвращая бумагу владельцу. — Уверен, что Паркер убийства не совершал, — добавил он мрачным тоном.

— Вы говорите так же, как и моя сестра, — вмешался я. — А она обычно в таких делах не ошибается.

Но на мое выступление никто не обратил внимания.

— Это достаточно точно показывает, чем занимались домашние. А теперь мы подходим к грустной теме: женщина в сторожке, Мэри Блэк, как раз задергивала вечером шторы и видела, как через ворота прошел Ральф Пейтон и направился к дому.

— А она в этом уверена? — резко спросил я.

— Абсолютно уверена. Она хорошо знает, как он выглядит. Пейтон быстро прошел мимо сторожки и направился по правой тропинке, а это самый короткий путь к террасе.

— И во сколько это было? — спросил Пуаро, который сидел с абсолютно неподвижным лицом.

— Точно в двадцать пять минут десятого, — инспектор был мрачен.

В комнате повисла тишина. Потом Рэглан заговорил опять:

— Так что все достаточно понятно. Все совпадает до минуты. В двадцать пять минут десятого капитана Пейтона видят возле сторожки; в девять тридцать или около того мистер Джоффри Реймонд слышит, как в кабинете кто-то просит деньги, а мистер Экройд ему отказывает. Что произошло потом? Капитан Пейтон уходит тем же путем, каким и пришел, — через окно. Злой и сбитый с толку, он идет по террасе. По пути у него открытое окно в гостиную. Времени примерно без четверти десять. Мисс Флора желает своему дяде спокойной ночи. Майор Блант, мистер Реймонд и миссис Экройд в бильярдной. Гостиная пуста. Пейтон проникает в нее, берет из витрины кинжал и возвращается к окну в кабинет. Снимает ботинки, залезает в окно и... думаю, что мне не стоит углубляться в детали. Затем он опять выбирается через окно и исчезает. Ему не хватает храбрости вернуться в гостиницу. Он идет на станцию, делает оттуда звонок...

— Зачем? — мягко поинтересовался Пуаро.

Я подпрыгнул от неожиданности. Маленький сыщик всем телом подался вперед, его глаза светились странным зеленым светом.

На секунду инспектор растерялся.

— Сложно точно сказать, зачем он это сделал, — проговорил он в конце концов. — Но иногда убийцы ведут себя очень странно. Вы бы это хорошо знали, если б служили в полиции. Самые умные из них иногда совершают глупейшие ошибки. Лучше пойдемте, я покажу вам следы.

Вслед за ним мы обошли террасу и подошли к окну. Рэглан отдал приказ, и констебль принес туфли, которые были взяты в местной гостинице. Инспектор наложил их на отпечатки.

— Абсолютно идентичны, — уверенно заявил он. — То есть следы оставлены другой парой, в которой он сбежал. А это еще одна пара, такая же, но постарше — посмотрите, как сношены резиновые шипы.

— Но ведь многие люди носят туфли с резиновыми шипами в подошве, — заметил Пуаро.

— Это, конечно, так, — ответил инспектор, — и я бы не стал обращать на эти отпечатки такого внимания, если б не все остальное.

— Исключительно глупый молодой человек этот капитан Пейтон, — задумчиво произнес Пуаро. — Оставить так много следов своего присутствия в доме...

— Ничего не поделаешь, — сказал инспектор. — Была прекрасная сухая ночь. Он не оставил никаких следов ни на террасе, ни на галечной тропинке. Но, на его беду, практически накануне в конце тропинки, идущей от подъездной аллеи, забил ключ. Вот, посмотрите сюда. — В нескольких футах от нас узенькая галечная тропинка подходила к террасе. В одном месте, за несколько ярдов от ее конца, почва была влажной и рыхлой. В этом мокром месте опять появлялось много следов, и среди них — следы туфель с резиновыми шипами.

Пуаро немного прошел по тропинке. Инспектор шел рядом.

— А вы заметили женские следы? — неожиданно спросил сыщик.

Инспектор рассмеялся.

— Естественно. Здесь проходили несколько разных женщин, как, впрочем, и мужчин. Понимаете, это самая короткая дорога к дому. Отсортировать все отпечатки просто невозможно. Но нас ведь и инте-

112 ресуют только те, которые совпадают с отпечатками на подоконнике.

Пуаро кивнул.

— Дальше можно не идти, — сказал инспектор, когда перед нами замаячила подъездная аллея. — Там все засыпано гравием и сильно утрамбовано.

И опять Пуаро кивнул, но его глаза не отрываясь смотрели на небольшой сарай, некоторое подобие летней раздевалки-переростка. Он стоял впереди и немного левее, и к нему вела гравийная дорожка.

Пуаро подождал, пока инспектор не вернулся в дом, а потом повернулся ко мне.

— Вас, наверное, послал мне сам господь бог, чтобы заменить моего друга Гастингса, — сказал он, подмигнув мне. — Я вижу, что вы от меня никуда не отходите. Как вы думаете, доктор Шеппард, не исследовать ли нам этот домик? Он меня очень заинтересовал.

Детектив подошел к двери и открыл ее. Внутри царила почти полная темнота. Там находились несколько плетеных кресел, набор для игры в крикет и несколько складных стульев.

Я был потрясен переменой, которая произошла в моем соседе. Он опустился на четвереньки и стал ползать по полу, время от времени качая головой, будто от разочарования. Наконец Пуаро, встав, пробормотал:

— Ничего... Но, может быть, не стоило чего-то ожидать? Однако это многое значило бы...

Он замолчал и, казалось, на минуту окаменел. Затем протянул руку к одному из плетеных стульев и что-то вытащил из его боковины.

— Что это? — воскликнул я. — Что вы там отыскали?

Пуаро улыбнулся и раскрыл руку, чтобы я мог увидеть то, что лежало у него на ладони.

Это был клочок белого накрахмаленного батиста.

Я взял его, с любопытством осмотрел, а потом вернул назад.

— И что вы думаете по этому поводу, друг мой? — спросил сыщик, проницательно глядя на меня.

— Клочок носового платка, — предположил я, пожав плечами.

Детектив сделал еще одно движение и извлек небольшое перо — судя по виду, гусиное.

— А это? — воскликнул он с триумфом. — Что вы думаете по этому поводу?

Я только таращился на него.

Пуаро засунул перо в карман и опять стал рассматривать клочок батиста.

— Клочок носового платка? — задумчиво произнес он. — Может быть, вы и правы. Но запомните — хорошая прачка никогда не будет крахмалить носовые платки.

Он с триумфом взглянул на меня, а потом аккуратно убрал клочок в свою записную книжку.

Глава 9
ПРУД С ЗОЛОТЫМИ РЫБКАМИ

Когда мы вместе вернулись к дому, инспектора уже и след простыл. Пуаро остановился на террасе спиной к дому и стоял так какое-то время, медленно поворачивая голову из стороны в сторону.

— *Une belle propriété*[1], — с восхищением произнес он наконец. — И кому это все достанется?

Его слова почти повергли меня в шок. Странно, но до этого момента вопрос наследства совсем не приходил мне в голову. Пуаро следил за мною проницательным взглядом.

— Вижу, что вы над этим не задумывались, — сказал он. — Это совсем новая для вас тема.

— Не задумывался, — честно ответил я. — А ведь надо было бы.

Детектив еще раз с любопытством посмотрел на меня.

— Интересно, что вы хотите этим сказать, — задумчиво произнес он. — Нет, нет, — остановил он меня, когда я приготовился ответить. — *Inutile!*[2] Правды вы все равно мне не скажете.

— У каждого есть своя маленькая тайна, — процитировал я, улыбнувшись.

---

[1] Прекрасные владения (*фр.*).
[2] Бессмысленно! (*фр.*)

— Вот именно.

— Вы все еще в это верите?

— Больше, чем когда-либо, друг мой. Но от Эркюля Пуаро не так-то просто что-то скрыть. Он мастер все узнавать.

Говоря это, сыщик спустился по ступенькам в голландский сад[1].

— Давайте немного прогуляемся, — предложил он, не поворачиваясь. — Воздух сегодня просто превосходный.

Я пошел вслед за ним. Пуаро повел меня по левой тропинке, проходившей между тисовых деревьев. Дорожка проходила прямо посередине, по бокам от нее располагались регулярные цветочные клумбы. Конец дорожки упирался в круглую заасфальтированную площадку, посреди которой располагался пруд с золотыми рыбками, а рядом стояла скамья. Вместо того чтобы дойти до самого конца этой дорожки, Пуаро свернул еще на одну, которая извивалась по склону холма, покрытого деревьями. В одном месте деревья были вырублены, и на их месте установлена скамья. Сидя на этой скамье, можно было наслаждаться восхитительной панорамой сельской местности. Пруд с золотыми рыбками располагался прямо под сидящими.

— Англия очень красива, — заметил Пуаро, наслаждаясь перспективой, открывшейся его взору. — Так же как и английские девушки. — Эти слова он произнес гораздо тише. — Помолчите, друг мой, и полюбуйтесь на эту картину внизу.

Только тогда я заметил Флору. Девушка шла по дорожке, которую мы только что оставили, и что-то

---

[1] Отличается яркой окраской цветов и вечнозеленых кустарников.

116 негромко напевала. Шла она танцующей походкой и, несмотря на ее траурное платье, вся светилась от радости. Неожиданно она сделала пируэт на кончиках пальцев, как будто участвовала в модном показе, закинула голову назад и громко рассмеялась.

В этот момент из-за деревьев появился мужчина. Это был Гектор Блант.

Девушка вздрогнула, и выражение ее лица слегка изменилось.

— Как вы меня испугали... Я вас и не заметила.

Вместо ответа Блант несколько минут смотрел на нее в полном отчаянии.

— Что мне в вас нравится, — продолжила Флора с некоторой издевкой, — так это ваше умение поддержать беседу.

Мне показалось, что от этих слов Блант покраснел под своим загаром. Когда он заговорил, в голосе его звучала странная покорность:

— Никогда не умел болтать. Даже в молодости.

— Полагаю, что это было очень давно, — мрачно произнесла Флора.

Я услышал в ее тоне сдерживаемый сарказм, но мне кажется, что Блант его не заметил.

— Да, — просто ответил он. — Вы правы.

— И как вы ощущаете себя в роли Мафусаила?[1] — поинтересовалась Флора.

Сейчас она уже с трудом сдерживала смех, но Блант продолжал думать о своем.

— Помните того парня, который продал душу дьяволу, чтобы тот вернул ему молодость? Есть еще такая опера...

— Вы имеете в виду Фауста?

---

[1] Согласно Библии, Мафусаил умер в возрасте 969 лет, за семь дней до начала Великого потопа. Зд.: — очень старый человек.

— Именно его. Чудная история. А ведь многие из нас сделали бы это, появись у них такая возможность.

— Вас послушать, так из вас уже песок сыплется! — воскликнула Флора, то ли раздражаясь, то ли развлекаясь.

Пару минут Блант ничего не говорил. Затем он отвел взгляд и сообщил ближайшему дереву, что ему пора возвращаться в Африку.

— Вы что, собираетесь в новую экспедицию? Пострелять?

— Можно и так сказать. Обычно я этим и занимаюсь — то есть стреляю.

— А того зверя, чья голова висит в холле, тоже вы застрелили?

Блант кивнул. А потом выдавил из себя, сильно покраснев при этом:

— Вас шкуры интересуют? Если да, то я вам их добуду.

— Пожалуйста! Ну пожалуйста! — воскликнула Флора. — Вы правда добудете? А не забудете?

— Я не забуду, — сказал Гектор Блант. А затем, как будто его прорвало, добавил: — Пора ехать. Эта жизнь мне не подходит. Манеры у меня не те. Я грубый парень и не подхожу для общества. Никогда не помню, что и когда надо говорить... Да, пора ехать.

— Но вы же не сейчас уезжаете, — сказала Флора. — Не... не тогда, когда мы все в беде! Прошу вас, пожалуйста! Если вы уедете...

Она слегка отвернулась от майора.

— А вы хотите, чтобы я остался? — спросил Блант. Он произнес это просто, но со значением.

— Мы все...

— Я сейчас говорю лично о вас, — произнес майор с прямотой римлянина.

Флора медленно повернулась и прямо посмотрела ему в глаза.

— Я хочу, чтобы вы остались, — сказала она, — если... если это имеет для вас какое-то значение.

— Имеет, — ответил Блант.

В воздухе повисло молчание. Они опустились на скамью рядом с прудом с золотыми рыбками. Казалось, что ни один из них не знает, что еще сказать.

— Сегодня... сегодня такое чудесное утро, — произнесла наконец Флора. — Знаете, я не могу не чувствовать себя счастливой, несмотря... несмотря ни на что. Наверное, это ужасно, да?

— Абсолютно нормально, — возразил Блант. — Вы же узнали своего дядю только два года назад, правильно? Поэтому и не должны быть в глубоком трауре. И лучше не пытаться никого обмануть.

— В вас есть что-то невероятно успокаивающее, — заметила Флора. — Вас послушать, так все очень просто...

— Как правило, так оно и есть, — подтвердил охотник на крупного зверя.

— Не всегда, — вздохнула Флора.

Ее голос стал тише, и я увидел, как Блант повернулся к ней, оторвавшись (по-видимому) от мысленного созерцания далекого побережья Африки. Скорее всего, он по-своему объяснил изменение в ее голосе, потому-то через пару минут довольно отрывисто произнес:

— Я говорю: знаете, не стоит волноваться. Я имею в виду молодого парня. Инспектор — полный идиот. Все знают: думать, что капитан это совершил — полный абсурд. Всему этому есть только одно объяснение.

Флора повернулась и посмотрела на него.

— Вы действительно так думаете?

— А вы — нет? — быстро спросил Блант.

— Я... да, ну конечно.

Несколько минут молчания, а потом Флора заговорила:

— Я... я расскажу вам, почему так счастлива сегодня утром. Вы можете посчитать меня бессердечной, но я все равно расскажу. Это все из-за адвоката, мистера Хэммонда. Он рассказал нам о завещании. Дядя Роджер оставил мне двадцать тысяч фунтов. Вы только подумайте — двадцать тысяч полновесных фунтов!

На лице Бланта появилось удивление.

— Это так много для вас значит?

— Много значит? Да для меня это все! Свобода, жизнь, отсутствие необходимости что-то планировать, как-то сводить концы с концами, лгать...

— Лгать? — резко прервал ее Блант.

Флора на секунду растерялась.

— Вы прекрасно знаете, что я имею в виду, — неуверенно произнесла она. — Притворяться, что ты благодарна за все то старье, которое тебе отдают богатые родственники. За все эти прошлогодние пальто, платья и шляпки...

— Я мало знаю о женской одежде, но, на мой взгляд, вы всегда прекрасно упакованы.

— Однако вы не знаете, чего мне это стоит, — негромко сказала девушка. — Давайте не будем говорить обо всех этих ужасах. Я так счастлива. Я свободна. Свободна делать все, что захочу. Свободна не...

Она внезапно остановилась.

— Что «не»? — быстро спросил Блант.

— Уже забыла. Ничего важного.

В руках у майора была палка, и он, прицелившись во что-то, бросил ее в пруд.

120 — Что вы делаете, майор?

— Там лежало что-то блестящее. Было интересно, что это такое, — было похоже на золотую брошку. А теперь я взбаламутил всю тину, и ничего не видно.

— А вдруг это была корона? — предположила Флора. — Такая же, как та, которую Мелисанда[1] увидела в воде.

— Мелисанда, — задумчиво повторил Блант. — Это тоже из оперы, верно?

— Да. А вы, оказывается, большой знаток оперы...

— Меня иногда туда приглашают, — печально заметил Блант. — Странный способ получать удовольствие — шум такой, что тамтамы дикарей в джунглях перед ним ничто.

Флора рассмеялась.

— Я помню Мелисанду, — продолжал майор. — Она вышла замуж за старика, который годился ей в отцы.

Он бросил кусочек гальки в пруд. Потом его манеры изменились, и он опять повернулся к Флоре:

— Я могу вам чем-то помочь, мисс Экройд? Я имею в виду это дело с Пейтоном. Я знаю, вы, должно быть, вся извелась...

— Благодарю вас, — голос Флоры звучал холодно. — Здесь уже ничего не поделаешь. С Ральфом все будет в порядке. Я смогла заполучить лучшего детектива в мире, и он все выяснит.

Уже какое-то время я чувствовал себя неловко, сидя на нашей скамейке. Хотя мы не подслушивали

---

[1] Главная героиня оперы К. Дебюсси по пьесе М. Метерлинка «Пелеас и Мелисанда».

в точном понимании этого слова. Тем двоим внизу надо было только поднять головы, и они бы нас сразу увидели. И тем не менее я бы уже давно обнаружил себя, если б мой спутник не сжал мне руку предостерегающим жестом. Было ясно, что он хочет, чтобы я сидел тихо. А вот теперь он неожиданно начал действовать.

Пуаро быстро поднялся на ноги и прочистил горло.

— Я прошу у вас прощения! — воскликнул он. — Я не могу позволить себе слушать, как мадемуазель так сильно меня хвалит, и при этом молчать. Говорят, что тот, кто подслушивает, никогда не услышит о себе ничего хорошего, но сейчас совсем другой случай. Чтобы не краснеть дальше, я должен извиниться и присоединиться к вам.

И он заторопился вниз по тропинке, а я последовал прямо за ним. Так мы присоединились к тем, кто сидел у пруда.

— Это месье Эркюль Пуаро, — представила его Флора. — Полагаю, что вы о нем слышали.

Пуаро поклонился.

— Я много слышал о майоре Бланте, — вежливо сказал он. — Рад с вами встретиться, месье. Мне нужна некоторая информация, которую мне можете сообщить только вы.

Блант вопросительно взглянул на него.

— Когда вы в последний раз видели месье Экройда живым?

— На обеде.

— После этого вы его не видели и не слышали?

— Я его не видел, но голос его слышал.

— Как так?

— Я прогуливался по террасе...

— Простите, во сколько это было?

— Где-то в половине десятого. Я прогуливался возле окна в гостиную и курил. И я слышал Экройда, говорившего что-то в своем кабинете...

Пуаро остановил его, сняв с пиджака микроскопическую травинку.

— Но мне кажется, что с того места на террасе невозможно услышать голоса в кабинете, — пробормотал он.

Детектив не смотрел на Бланта в отличие от меня. А я, к своему большому удивлению, увидел, как майор залился краской.

— Я дошел до самого угла, — неохотно объяснил он.

— Ах вот как! — сказал бельгиец и очень аккуратно показал майору, что ждет продолжения.

— Мне показалось, что в кустах скрылась женщина. Знаете, такое белое пятно... Скорее всего, ошибся. И когда я стоял на углу террасы, я услышал, как Экройд говорит с этим своим секретарем.

— С мистером Джоффри Реймондом?

— Да — так я подумал в тот момент. Опять-таки ошибся.

— Мистер Экройд не обращался к нему по имени?

— Нет, нет.

— Тогда, если позволите, почему вы решили...

Блант старательно объяснил:

— Просто был уверен, что это Реймонд, потому что встретил его перед тем, как вышел на террасу, и он сказал, что несет Экройду кое-какие бумаги. Мне и в голову тогда не пришло, что это может быть еще кто-то.

— Не вспомните, что же вы услышали?

— Боюсь, что не смогу. Что-то совсем обычное и неважное. Да и то лишь отрывок. Я в тот момент думал совсем о другом.

— Ну да это и неважно, — негромко проговорил Пуаро. — А вы не придвигали кресло назад к стенке, когда вошли в кабинет после того, как было обнаружено тело?

— Кресло? Нет, зачем мне это?

Пуаро пожал плечами, но ничего не ответил. Он повернулся к Флоре:

— Я бы хотел задать вам один вопрос, мадемуазель. Когда вы рассматривали с доктором Шеппардом экспонаты в витрине, кинжал был на месте или нет?

Флора резко подняла подбородок.

— Меня уже спрашивал об этом инспектор Рэглан, — раздраженно ответила она. — Я сказала ему и теперь говорю вам — я абсолютно уверена, что кинжала там не было. Он же уверен, что кинжал там был и что Ральф позже украл его именно оттуда. И... и он не хочет мне верить. Он считает, что я так говорю, чтобы прикрыть Ральфа.

— А это не так? — мрачно спросил я.

Девушка топнула ногой.

— И вы туда же, доктор Шеппард... Боже, как все запутано!

Пуаро тактично перевел разговор на другую тему.

— Вы были правы, майор, когда говорили, что в пруду что-то блестит. Сейчас посмотрим, смогу ли я это достать.

Маленький человечек встал возле пруда на колени, закатал рукава до локтя и медленно опустил руку в пруд, стараясь не побеспокоить тину на дне. Но, несмотря на все его предосторожности, грязь со дна поднялась и замутила весь пруд. Пуаро был вынужден вытащить руку, которая так и осталась пустой.

Он с сожалением посмотрел на грязь, покрывавшую его руку. Я предложил ему свой носовой платок, который он принял с массой благодарностей. Блант посмотрел на часы.

— А время-то уже к ланчу, — заметил он. — Надо двигаться в сторону дома.

— Вы присоединитесь к нам, месье Пуаро? — спросила Флора. — Я бы хотела познакомить вас с матерью. Она... она очень любит Ральфа.

Маленький детектив поклонился в знак согласия.

— Для меня это большая честь, мадемуазель.

— Вы тоже останетесь, доктор Шеппард, не так ли?

Я заколебался.

— Я прошу вас!

Мне самому этого хотелось, поэтому я принял приглашение без лишних церемоний.

Мы все двинулись в сторону дома. Флора и Блант шли первыми.

— Какие волосы, — негромко сказал мне Пуаро, кивая в сторону Флоры. — Настоящее золото! Они составят прекрасную пару. Она и темноволосый красавец капитан Пейтон... Вы согласны со мной?

Я вопросительно взглянул на него, но он вдруг занялся микроскопическими каплями воды на рукаве своего пальто. Этот человек чем-то напоминал мне кота. Эти его зеленые глаза и жеманное поведение...

— И все впустую, — заметил я с симпатией. — Интересно, что же там все-таки было, в пруду?

— Хотите взглянуть? — спросил Пуаро. Я уставился на него. Сыщик кивнул. — Мой дорогой друг, — произнес он с мягкой укоризной. — Эркюль Пуаро никогда не рискнет своим костюмом, не будучи уверенным, что сможет достичь своей цели.

Такой поступок был бы смешным и абсурдным, а я никогда не бываю смешон.

— Но у вас в руке ничего не было, — запротестовал я.

— Иногда необходимо сохранять тайну. Вы всегда говорите своим пациентам абсолютную правду, доктор? Думаю, что нет. Да и своей великолепной сестре вы не рассказываете всего до конца, не так ли? Прежде чем продемонстрировать пустую руку, я переложил то, что в ней было, в другую. А сейчас вы увидите, что это было.

И он протянул мне свою левую руку ладонью вверх. На ней лежал небольшой золотой ободок. Женское обручальное кольцо.

Я взял его в руки.

— Посмотрите внутрь, — скомандовал Пуаро.

Я так и поступил. По внутренней стороне кольца было выгравировано изящными буквами:

От Р., 13 марта

Я взглянул на Пуаро, но тот был занят тем, что изучал свое изображение в крохотном карманном зеркальце. Особое внимание сыщик уделил своим усам, на меня же не обратил никакого внимания. Я понял, что он не собирается продолжать наш разговор.

Глава 10
БУФЕТЧИЦА

Когда мы пришли, миссис Экройд была в холле. Рядом с ней стоял маленький высохший человечек с агрессивным подбородком, острыми серыми глазками и большой печатью ЮРИСТ на лбу.

— Мистер Хэммонд решил остаться на ланч, — сообщила миссис Экройд. — Вы уже знаете майора Бланта, мистер Хэммонд? А это наш дорогой доктор Шеппард, тоже старый друг бедного Роджера. И, дайте-ка взглянуть...

Она замолчала, в замешательстве рассматривая Эркюля Пуаро.

— Это месье Пуаро, мама, — объяснила Флора. — Я говорила тебе о нем сегодня утром.

— Ах да, ну конечно, — неуверенно сказала миссис Экройд. — Конечно, конечно, милая. Он должен найти Ральфа, правильно?

— Он должен найти убийцу дяди, — уточнила Флора.

— Дорогая моя, — воскликнула ее мать, — я тебя умоляю! Мои нервы на пределе. Сегодня утром я совершенно разбита. Какое ужасное событие... Я не могу избавиться от ощущения, что это был какой-то несчастный случай. Роджер всегда так увлекался всякими странными штучками... Думаю, что у него соскользнула рука или что-то в этом роде.

Эта теория была выслушана в гробовом молчании. Я заметил, как Пуаро подошел к юристу и заговорил с ним конфиденциальным тоном. Они отошли в амбразуру окна. Я подошел было к ним, но потом заколебался.

— Я вам не помешаю? — поинтересовался я.

— Совсем нет! — любезно воскликнул сыщик. — Мы с вами, месье доктор, — вы и я — расследуем это преступление бок о бок. Без вашей помощи я бы совершенно растерялся. Мне нужна кое-какая информация от доброго мистера Хэммонда.

— Как я понимаю, вы действуете в интересах капитана Ральфа Пейтона? — осторожно уточнил адвокат.

Пуаро отрицательно покачал головой:

— Не так. Я действую в интересах правосудия. Мисс Экройд попросила меня расследовать смерть ее дяди.

Было видно, что мистер Хэммонд немного растерялся.

— Я не могу поверить, что капитан Пейтон может быть замешан в этом преступлении, — сказал он, — какими бы ни были косвенные улики. И тот факт, что он испытывал серьезные финансовые трудности, не может...

— А он их действительно испытывал? — быстро вставил Пуаро.

Адвокат пожал плечами.

— Это обычное состояние Ральфа Пейтона, — сухо заметил он. — Деньги утекали у него меж пальцев как вода. Он постоянно обращался к своему отчиму.

— А он делал это в течение, предположим, последнего года?

— Не могу вам сказать. Мистер Экройд не обсуждал со мною подобные вещи.

— Я понимаю вас, мистер Хэммонд. Полагаю, что вы знакомы с подробностями завещания мистера Экройда?

— Ну конечно. Именно из-за этого я и приехал сюда сегодня.

— Ну тогда, так как вы видите, что я действую по поручению мисс Экройд, не могли бы вы познакомить меня с подробностями этого завещания?

— Оно очень простое. Если отбросить всякую юридическую шелуху, то после уплаты некоторых обязательных сумм...

— Как то? — прервал его Пуаро.

Было видно, что мистер Хэммонд слегка удивлен.

— Как то: тысяча фунтов его домоправительнице мисс Рассел, пятьдесят фунтов кухарке, Эмме Купер, пятьсот фунтов секретарю, мистеру Джоффри Реймонду, а также взносы в различные клиники...

Пуаро поднял руку.

— Знаете, благотворительные взносы меня не интересуют.

— Очень хорошо. Миссис Экройд получает пожизненный доход от десяти тысяч фунтов, вложенных в акции различных предприятий. Мисс Флора Экройд немедленно вступает во владение двадцатью тысячами фунтов. Все остальное — включая недвижимость и акции в компании «Экройд и Сын» — переходит к его приемному сыну, Ральфу Пейтону.

— У мистера Экройда было значительное состояние?

— Очень значительное. Капитан Пейтон станет весьма состоятельным молодым человеком.

Повисла тишина. Пуаро и адвокат посмотрели друг на друга.

— Мистер Хэммонд, — раздался от камина голос миссис Экройд.

Адвокат направился на зов. Пуаро взял меня за руку и потянул ближе к окну.

— Вы только взгляните на эти ирисы, — произнес он громким голосом. — Великолепны, не правда ли? Очень приятное впечатление. — В то же время я почувствовал его руку на своей и услышал его тихий голос: — Вы действительно хотите мне помочь? Хотите принять участие в расследовании?

— Ну конечно, — с готовностью откликнулся я. — Это моя самая большая мечта. Вы не представляете, какую скучную жизнь я веду. В ней нет ничего, выходящего за рамки обычного.

— Отлично, тогда считайте, что мы с вами коллеги. Думаю, что через пару минут к нам присоединится майор Блант. Он уже устал от этой доброй мамочки. Я хочу узнать некоторые вещи, но не хочу, чтобы он знал, что это нужно именно мне. Вы меня понимаете? Поэтому вопросы придется задавать вам.

— И о чем я должен спрашивать? — спросил я, предчувствуя недоброе.

— Я хочу, чтобы вы упомянули при нем имя миссис Феррарс.

— Да?

— И говорите о ней совершенно обыденно. Спросите его, был ли он здесь, когда умер муж миссис Феррарс? Вы меня понимаете. А когда он будет отвечать, незаметно наблюдайте за его лицом. *C'est compris?*[1]

Ответить я не успел, так как через минуту, как и предсказывал маленький бельгиец, Блант покинул остальных и своей обычной целеустремленной походкой подошел к нам. Я предложил выйти на террасу, но Пуаро предпочел остаться.

---

[1] Это понятно? (*фр.*)

Около поздней розы я остановился и заметил:

— Как все может измениться всего за каких-то два дня... Я был здесь в среду и, помню, гулял по этой террасе. Со мною был Экройд, полный жизни и планов... А теперь, три дня спустя, бедняга мертв. Миссис Феррарс тоже мертва — вы ведь знали ее, не так ли?.. Ну конечно, знали!

Блант утвердительно кивнул.

— А в этот свой приезд вы с нею встречались?

— Нанес ей визит вместе с Экройдом. Кажется, во вторник. Потрясающая женщина, но в ней было что-то странное. Где-то глубоко внутри — никогда нельзя было определить, что она собирается делать в следующий момент.

Я посмотрел в его твердые серые глаза. Естественно, они ничего не выражали. Тогда я продолжил:

— А раньше вы ее тоже встречали?

— Последний раз, когда я здесь был, они только переехали сюда с мужем. — Майор недолго помолчал, а потом добавил: — Странное дело, но за это время она очень здорово изменилась.

— Что значит — изменилась? — уточнил я.

— Стала выглядеть лет на десять старше.

— А вы были здесь, когда умер ее муж? — спросил я, стараясь, чтобы вопрос прозвучал как можно естественнее.

— Нет. Но по всему, что я слышал, для нее это было большим счастьем. Может быть, звучит жестоко, но зато истинная правда.

Я не мог не согласиться.

— Да уж, Эшли Феррарса никак нельзя было назвать образцовым мужем, — осторожно заметил я.

— Мерзавец чистой воды, на мой взгляд, — заметил Блант.

— Да нет, — возразил я. — Просто человек, у которого денег было больше, чем ему было нужно.

— Ох уж эти деньги... На их избыток можно списать все, что угодно. Или на их недостаток.

— А к вам что из этого больше подходит? — спросил я.

— У меня их хватает на то, чтобы жить как я хочу. Мне просто повезло.

— Да, это точно.

— Сейчас-то у меня их не очень много. Год назад получил небольшое наследство и, как идиот, позволил уговорить себя вложиться в одно рискованное дельце...

Я проникся к нему симпатией и рассказал о своей собственной проблеме.

Раздался звук гонга, и мы все отправились на ланч.

— *Eh bien?*[1] — спросил Пуаро, слегка придержав меня.

— С ним всё в порядке, — ответил я. — Я в этом уверен.

— И вас ничего не... насторожило?

— С год назад он получил наследство, — рассказал я. — Но что в этом такого? Почему он не может его получить? Могу поклясться, что он абсолютно честен и ни в чем не замешан.

— Без сомнения, без сомнения, — успокоил меня сыщик. — Не надо так расстраиваться.

Он говорил со мною как с капризным ребенком.

Мы все вошли в столовую. Казалось невероятным, что я сидел за этим столом менее чем двадцать четыре часа назад.

---

[1] *Зд.:* Итак? *(фр.)*

После еды миссис Экройд отвела меня в сторону и усадила на софу.

— Я чувствую себя немного обиженной, — произнесла она, поднося к глазам платок, вид которого говорил о том, что он отнюдь не предназначен для того, чтобы вытирать им слезы. — Обиженной тем, что Роджер, оказывается, так мало мне доверял. Эти двадцать тысяч он должен был оставить мне, а не Флоре. Матери вполне можно доверить блюсти интересы ее дочери. На мой взгляд, это называется отсутствием доверия.

— Вы забываете, миссис Экройд, — напомнил ей я, — что Флора — родная племянница Экройда, а значит, его кровная родственница. Если б вы были его родной сестрой, а не женой его брата, то все было бы по-другому.

— Думаю, что он мог бы подумать о моих чувствах как вдовы несчастного Сесила, — сказала дама, осторожно дотрагиваясь платком до своих ресниц. — Но Роджер всегда странно, если не сказать скаредно, вел себя во всем, что было связано с деньгами. Для меня и Флоры это всегда было очень сложно. Он даже не выделил несчастной крошке ежегодного содержания. Конечно, он оплачивал ее счета, но и это делал с большим скрипом. И, как любой мужчина, всегда допрашивал меня, зачем ей нужны все эти бантики и блестящие безделушки... Ну вот, я забыла, что хотела вам сказать! Ах да, у нас не было ни пенни, которое мы могли бы назвать своим. Флора очень переживала из-за этого — уж я-то хорошо знаю. Хотя и была привязана к своему дяде. Но любой девушке это не понравилось бы... Да, я должна сказать, что у Роджера было странное отношение к деньгам. Он даже не хотел покупать новые полотенца, хотя я много раз говорила ему, что в старых уже протерлись дыры. И вообще, — продолжила миссис Экройд, внезапно поменяв тему, что было характерно для ее манеры разговаривать, — оставить все эти деньги этой женщине — вы только подумайте, целую тысячу фунтов!

— Какой женщине?

— Этой Рассел. Я всегда говорила, что в ней есть что-то странное. Но Роджер не хотел слышать о ней ничего плохого. Говорил, что она женщина с сильным характером и что он ее уважает и восхищается ею. Все время говорил о ее честности, независимости и душевной теплоте... Она действительно делала все, чтобы женить на себе Роджера. Но я быстренько положила этому конец. Она всегда меня ненавидела. Естественно, *ведь я* вижу ее насквозь.

Я начал подумывать, как бы остановить это выступление миссис Экройд и сбежать. Спас меня мистер Хэммонд, который подошел попрощаться. Я ухватился за эту возможность и тоже встал.

— Насчет досудебного расследования, — спросил я. — Где его лучше провести: здесь или в «Трех кабанах»?

У миссис Экройд буквально отвалилась челюсть.

— Досудебное расследование? — спросила она, выглядя как живое воплощение ужаса. — Но ведь никакого досудебного расследования не будет?

— Это неизбежно, — произнес мистер Хэммонд, гнусно покашляв. — В создавшихся обстоятельствах, — добавил он, как пролаял.

— Но ведь доктор Шеппард может организовать...

— Боюсь, что здесь мои организаторские способности сильно ограничены, — сухо заметил я.

— Но если его смерть — результат несчастного случая...

— Он был убит, миссис Экройд, — жестко заметил я.

Женщина негромко вскрикнула.

— И никакие рассуждения о несчастных случаях не выдержат никакой критики.

В отчаянии миссис Экройд взглянула на меня. Мне уже надоело это поведение, которое в тот момент я посчитал ее глупым желанием избежать дополнительных неприятностей.

— Если будет досудебное расследование, то мне... мне ведь необязательно будет отвечать на вопросы, правильно? — уточнила она.

— Не знаю, что вы должны будете делать, — ответил я. — Вполне возможно, мистер Реймонд сможет освободить вас от этой необходимости. Он в курсе всех обстоятельств и вполне может официально подтвердить личность убитого.

Легким наклоном головы адвокат подтвердил мои слова.

— Думаю, что вам действительно не о чем беспокоиться, миссис Экройд, — заметил он. — Вас освободят от всех этих ненужных волнений. Теперь насчет денег — у вас их достаточно на сегодняшний момент? Я имею в виду, — добавил он, поймав ее вопросительный взгляд, — наличные деньги. Если нет, то я могу их организовать для вас, если вы назовете мне требуемую сумму.

— Мне кажется, что здесь все должно быть в порядке, — раздался голос стоявшего рядом Реймонда. — Как раз вчера мистер Экройд получил по чеку сто фунтов наличными.

— Сто фунтов?

— Да. На зарплату и на те выплаты, которые должны были быть сделаны сегодня. Думаю, что эти деньги до сих пор не тронуты.

— Тогда где же они? У него в столе?

— Нет. Наличные он всегда держал в спальне, точнее — в старом футляре для воротничков. Смешно, правда?

— Думаю, — предложил адвокат, — что до моего отъезда мы должны убедиться, что все деньги на месте.

— Ну конечно, — согласился секретарь. — Я вас провожу. Черт... я забыл, что дверь заперта.

Вызванный Паркер сообщил, что инспектор Рэглан находится в комнате домоправительницы, где выясняет какие-то дополнительные моменты. Через несколько минут инспектор вместе с ключом присоединился к нам в холле. Он отпер дверь, и через холл мы прошли к лестнице. Дверь в спальню Экройда на верхней площадке была все еще открыта. Опущенные шторы делали саму комнату темной, а кровать так и оставалась нетронутой с прошлого вечера. Раскрыв шторы, инспектор впустил в комнату солнечный свет, и Джоффри Реймонд прошел к верхнему ящику бюро из палисандрового дерева.

— Держать деньги просто так, в незапертом ящике? Вы можете себе такое представить? — заметил инспектор.

Секретарь слегка покраснел.

— Мистер Экройд абсолютно доверял честности своих слуг, — возбужденно произнес он.

— Ну да, конечно, — поспешно согласился с ним Рэглан.

Открыв ящик, Реймонд извлек из него старый круглый кожаный футляр для воротничков и, открыв его, вытащил толстый бумажник.

— А вот и деньги, — сказал он, показывая толстую пачку банкнот. — Здесь должно быть сто фунтов — мистер Экройд положил их в футляр в моем присутствии, когда переодевался к обеду. С того момента к ним никто не притрагивался.

Мистер Хэммонд взял у него из рук пачку и пересчитал деньги. Потом он резко взглянул на всех нас.

— Вы говорили про сто фунтов, но здесь только шестьдесят.

Реймонд с удивлением посмотрел на него.

— Это невозможно! — воскликнул он, делая шаг вперед, взял у него деньги и громко, вслух, пересчитал их еще раз.

Мистер Хэммонд не ошибся. Денег было ровно шестьдесят фунтов.

— Но я ничего не понимаю! — воскликнул озадаченный секретарь.

В этот момент Пуаро задал вопрос:

— Вы видели, как мистер Экройд убрал деньги вчера вечером, когда переодевался к обеду? А вы уверены, что после этого он никому ничего не платил?

— Уверен. Он тогда еще сказал: «Не хочу тащить эти сто фунтов с собою — слишком толстая пачка».

— Тогда все очень просто, — решил Пуаро. — Или он все-таки заплатил кому-то сорок фунтов вчера вечером, или деньги украли.

— Да, вот что остается в сухом осадке, — согласился инспектор и повернулся к миссис Экройд: — Кто из слуг мог прийти сюда вчера вечером?

— Думаю, что горничная. Она расстилает постель.

— И кто эта женщина? Вы о ней что-то знаете?

— Она не так давно у нас работает, — ответила миссис Экройд. — Но производит впечатление милой деревенской девушки.

— Мне кажется, с этим надо разобраться, — вмешался в разговор инспектор. — Если мистер Экройд сам заплатил кому-то деньги, то это может иметь значение для раскрытия всего преступления. Остальным слугам, по вашему мнению, тоже можно верить?

— Да, я так думаю.

— Раньше у вас никогда ничего не пропадало?

— Нет.

— И никто из них не увольняется или что-то в этом роде?

— Буфетчица собирается уйти.

— Когда?

— Мне кажется, она сообщила об этом вчера.

— Вам?

— Нет, конечно. *Я* не имею никакого отношения к слугам. Домашние дела — это ответственность мисс Рассел.

Пару минут инспектор размышлял над услышанным, а потом кивнул и произнес:

— Думаю, что надо переговорить с мисс Рассел и еще раз повидать эту девушку, Дейл.

Мы с Пуаро отправились к мисс Рассел вместе с ним. Она приняла нас со своей обычной невозмутимостью. Да, Элси Дейл работает в «Фернли» пять месяцев. Хорошая девушка, быстро выполняет свои обязанности и достойна всяческого уважения. Хорошие рекомендации. Последний человек на свете, кто мог бы взять что-то, не принадлежащее ей.

— А как насчет буфетчицы?

— Тоже отличная девушка. Очень спокойная и воспитанная. Прекрасная работница.

— Тогда почему же она увольняется? — просил инспектор.

— Я здесь ни при чем, — надула губы мисс Рассел. — Как я поняла, вчера днем мистеру Экройду что-то не понравилось. В ее обязанности входила уборка кабинета, и она перепутала какие-то бумаги на столе. Это его сильно разозлило, и она объявила о своем уходе. Так я поняла из ее рассказа. Но, может быть, вы сами с нею поговорите?

Инспектор согласился. Я уже заметил эту девушку, когда она прислуживала за ланчем. Высокая, с густыми каштановыми волосами, собранными в тугой узел на затылке и очень твердым взглядом серых глаз. Она явилась на вызов домоправительницы и, войдя в комнату, стояла очень прямо, внимательно глядя на нас этим своим твердым взглядом.

— Вас зовут Урсула Борн? — уточнил инспектор.

— Да, сэр.

— Как я понимаю, вы увольняетесь?

— Да, сэр.

— А почему?

— Я перепутала бумаги на столе мистера Экройда. Он здорово разозлился, и тогда я сказала, что мне, наверное, лучше уйти. Он сказал мне, что чем быстрее, тем лучше.

— Вы вчера вечером были в спальне мистера Экройда? Убирались или еще что-то?

— Нет, сэр. Это все работа Элси. Я никогда не захожу в ту часть дома.

— Должен вам сообщить, милочка, что из комнаты мистера Экройда исчезла крупная сумма денег.

Наконец-то я увидел хоть какое-то проявление чувств с ее стороны. Она залилась краской.

— Я ничего не знаю ни о каких деньгах. Если вы считаете, что мистер Экройд выгнал меня потому, что я их взяла, то вы ошибаетесь.

— Я вас ни в чем не обвиняю, милочка, — заметил инспектор. — Не стоит так волноваться.

Девушка холодно посмотрела на него.

— Если хотите, можете обыскать мои вещи, — презрительно заявила она. — Вы там ничего не найдете.

Неожиданно в разговор вмешался Пуаро.

— Мистер Экройд уволил вас вчера, во второй половине дня, или скорее вы сами уволились, правильно? — спросил он.

Девушка согласно кивнула.

— И сколько же времени вы беседовали?

— Беседовала?

— Ну да, с мистером Экройдом в его кабинете?

— Я... я не знаю.

— Ну, двадцать минут или, может быть, полчаса?

— Что-то вроде этого.

— Но не дольше?

— Нет, конечно, не дольше чем полчаса.

— Благодарю вас, мадемуазель.

Я с любопытством посмотрел на сыщика. Он был занят тем, что аккуратно перекладывал что-то на столе. Глаза его блестели.

— Достаточно, — сказал инспектор.

Урсула Борн исчезла. Инспектор повернулся к мисс Рассел.

— Сколько времени она здесь работает? У вас есть копия рекомендаций, которые она представила?

Не ответив на первый вопрос, мисс Рассел подошла к стоявшему рядом бюро, открыла один из ящиков и вытащила из него пачку писем, скрепленных большим зажимом. Среди них она выбрала одно и протянула его инспектору.

— Хм-м-м... Кажется, все в порядке. Подписано миссис Ричард Фоллиот, «Марби Гранж», Марби. Что это за женщина?

— Достойная семья, проживающая в провинции.

— Ну что же, — сказал инспектор, возвращая ей письмо. — Теперь давайте поговорим с другой, с Элси Дейл.

Элси Дейл оказалась крупной светловолосой девушкой с приятным, хотя и несколько глуповатым лицом. Она с готовностью ответила на наши вопросы и сильно разволновалась и расстроилась, узнав о пропаже денег.

— С нею, на мой взгляд, всё в порядке, — заключил инспектор, отпустив ее. — А как насчет Паркера?

Мисс Рассел крепко сжала губы и ничего не ответила.

— У меня ощущение, что с этим человеком что-то не так, — задумчиво продолжил инспектор. — Но проблема в том, что я не понимаю, когда у него был подходящий для убийства момент. Сразу после обеда он занялся своими прямыми обязанностями, и на весь вечер у него имеется хорошее алиби. Я знаю наверняка, потому что специально обратил на это внимание... Ну что ж, мисс Рассел, я благодарю вас. Давайте сегодня на этом остановимся. Вполне возможно, что мистер Экройд сам заплатил кому-то.

Домоправительница сухо попрощалась с нами, и мы покинули ее.

Вместе с Пуаро мы вышли из дома.

— Интересно, — первым заговорил я, прервав молчание, — что за бумаги перепутала девушка, если Экройд так разозлился? Не здесь ли ключ к решению всей загадки?

— Секретарь сказал, что на столе не лежало никаких важных бумаг, — негромко напомнил Пуаро.

— Да, но... — Я замолчал.

— Вам кажется странным, что Экройд впал в ярость из-за такой безделицы?

— Да, кажется...

— Но была ли это «просто безделица»?

— Конечно, — согласился я, — мы не знаем наверняка, что это были за бумаги, а меж тем Реймонд твердо сказал...

— Давайте на минуту забудем о Реймонде. Что вы сами думаете об этой девушке?

— О какой именно? О буфетчице?

— Вот именно. Об Урсуле Борн?

— Мне она показалось вполне приятной, — сказал я, поколебавшись.

Пуаро повторил мои слова:

— Она показалась *приятной*... вот именно.

Помолчав какое-то время, он вынул что-то из кармана и протянул мне:

— Друг мой, я хочу вам кое-что показать. Вот, взгляните.

Бумагу, которую показывал мне детектив, составил инспектор и утром передал Пуаро. Взглянув туда, куда указывал палец сыщика, я заметил небольшой карандашный крестик напротив имени Урсула Борн.

— Может быть, раньше вы не замечали, мой добрый друг, что во всем списке есть только один человек, чье алиби никем и ничем не подтверждено. И этот человек — Урсула Борн.

— Так вы думаете...

— Доктор Шеппард, я не хочу ничего думать. Может быть, Урсула Борн и могла убить мистера

142 Экройда, но, должен признаться, я не вижу для этого никаких мотивов. А вы?

Пуаро очень пристально посмотрел на меня, так пристально, что мне стало не по себе.

— А вы? — еще раз повторил он.

— Я не вижу никаких мотивов, — твердо ответил я.

Его взгляд стал мягче. Он нахмурился.

— Так как шантажистом был мужчина, то она соответственно шантажисткой быть не может, — пробормотал он себе под нос.

Я закашлялся, затем задумчиво произнес:

— Что касается этого...

Пуаро резко повернулся ко мне:

— Что? Что вы хотели сказать?

— Ничего, ничего. Только то, что, строго говоря, в письме миссис Феррарс упоминается *человек* — она нигде не говорит, что это мужчина. Это мы с Экройдом приняли на веру то, что это был мужчина.

Казалось, Пуаро меня не слушает. Он опять бормотал что-то себе под нос:

— Но тогда это возможно... Да, вполне возможно... Но в этом случае — не-е-т! Я должен все обдумать еще раз. Система и порядок — вот что мне сейчас совершенно необходимо. Все должно четко совпадать — идеально подходить к общей картине, иначе я на неправильном пути. — Он замолчал и вновь повернулся ко мне: — А где это — Марби?

— По другую сторону от Кранчестера.

— Далеко?

— Миль четырнадцать, полагаю.

— А вы сможете туда съездить? Например, завтра?

— Завтра? Дайте подумать... завтра воскресенье... Да. Думаю, что смогу. И что я должен буду там сделать?

— Увидеть эту миссис Фоллиот и выяснить у нее все, что удастся, об Урсуле Борн.

— Очень хорошо, хотя эта работа мне не очень-то по душе.

— Сейчас для ваших сомнений нет времени. От этого может зависеть жизнь человека.

— Бедный Ральф, — сказал я со вздохом. — Вы все-таки верите, что он не виновен?

Пуаро очень мрачно посмотрел на меня.

— Вы хотите знать правду?

— Ну конечно.

— Тогда вы ее услышите. Друг мой, все указывает именно на то, что он виновен.

— Что?! — невольно воскликнул я.

Сыщик кивнул.

— Да. Этот дурак инспектор — а ведь он полный дурак — нашел все улики, которые на это указывают. Я ищу правду, и правда каждый раз тоже приводит меня к Ральфу Пейтону. Но я не собираюсь опускать руки. Я обещал мадемуазель Флоре, а эта малышка уверена в невиновности капитана. Абсолютно уверена.

Глава 11
ПУАРО НАНОСИТ ВИЗИТ

Я немного нервничал, когда на следующий день позвонил в звонок «Марби Гранж». Меня очень интересовало, что Пуаро ожидает от моего визита. Он поручил мне это дело — почему? Потому ли, что, как и при беседе с майором Блантом, хотел остаться в стороне? Такое желание, вполне понятное тогда, сейчас теряло всякий смысл.

Мои размышления были прерваны появлением хорошенькой горничной.

Да, миссис Фоллиот дома. Меня проводили в гостиную, и я с любопытством огляделся. В большой полупустой комнате стояли неплохие старинные фарфоровые фигурки и лежали красивые вышивки. При этом шторы и чехлы на мебели выглядели поношенными. Как ни взгляни, но эта комната, без сомнения, принадлежала леди.

Когда миссис Фоллиот вошла в комнату, я оторвался от изучения Бартолоцци[1], висевшего на стене.

— Доктор Шеппард, — неуверенно произнесла она.

— Именно так меня зовут, — ответил я. — Прошу прощения, что побеспокоил вас без приглашения, но мне нужна информация об одной горнич-

---
[1] Бартолоцци Франческо (1727—1815) — итальянский гравер, живший в Англии.

ной, которая раньше работала у вас. Ее имя Урсула Борн.

— Урсула Борн? — с сомнением повторила она.

— Да. Может быть, вы не помните этого имени?

— Нет, нет, конечно, я... я очень хорошо помню.

— Как я понимаю, она ушла от вас около года назад?

— Да, именно так. Вы абсолютно правы.

— И пока она работала у вас, у вас не было к ней претензий? Кстати, а сколько всего она у вас проработала?

— Год или два — сейчас точно не помню. Она... она очень способная девушка. Думаю, что вам она вполне понравится. Я и не знала, что она собирается уходить из «Фернли».

— А вы можете что-нибудь о ней рассказать? — попросил я.

— Что-нибудь о ней?

— Да. Откуда она родом, кто ее близкие — такие вещи...

Лицо миссис Фоллиот окаменело еще больше.

— Я ничего этого не знаю.

— А у кого она работала до вас?

— Боюсь, что не припомню.

Сейчас ее волнение подчеркивалось неожиданно появившимся гневом. Она откинула голову назад жестом, который показался мне смутно знакомым.

— А так ли уж необходимы все эти вопросы?

— Совсем нет. — Я притворился удивленным и слегка виноватым. — Не думал, что для вас это будет неприятно. Приношу вам свои извинения.

Гнев исчез, и она опять превратилась в смущенную женщину.

— Нет, я совсем не против! Уверяю вас. Почему это должно быть мне неприятно? Просто... просто, понимаете, все это выглядит несколько странно. Вот и всё. Просто несколько странно.

Практикующий врач почти всегда может точно определить, когда ему лгут. По манере миссис Фоллиот вести беседу было очевидно, что она не хочет отвечать на мои вопросы, и не хочет очень активно. Было понятно, что она сильно расстроена и чувствует себя не в своей тарелке. За всем этим пряталась какая-то загадка. Мне миссис Фоллиот показалась женщиной, совершенно не приспособленной ко лжи — и именно поэтому так неловко себя чувствовавшей, когда лгать все-таки приходилось. Заметить это был способен даже ребенок.

Но мне также было очевидно, что больше она ничего не скажет. Какая бы тайна ни окружала Урсулу Борн, от миссис Фоллиот я о ней ничего не узнаю.

Признав поражение, я еще раз извинился за вторжение, взял шляпу и удалился.

Заехав по дороге к паре пациентов, я появился дома около шести часов вечера. Кэролайн сидела рядом с кучей использованных чайных принадлежностей. На лице у нее было написано с трудом подавляемое волнение, которое мне было так хорошо известно. Так она выглядела только тогда, когда ей не терпелось что-то сообщить или задать какой-нибудь вопрос. Я только не мог понять, что она хотела именно сейчас.

— У меня была очень интересная вторая половина дня, — начала Кэролайн, когда я погрузился в свое любимое кресло и вытянул ноги навстречу согревающему пламени камина.

— Правда? — спросил я. — Что, заходила мисс Ганнет?

Мисс Ганнет — одна из наших основных сплетниц.

— Можешь попробовать еще раз, — сказала Кэролайн с очевидной самоуверенностью.

Я попробовал еще несколько раз, постепенно перебрав всех членов ее разведывательной бригады. Каждую фамилию моя сестрица отвергала триумфальным покачиванием головы. В конце концов она сама выдала мне эту информацию.

— Месье Пуаро! — сказала она. — Что ты об этом думаешь?

Думал я много чего, но делиться этим с Кэролайн не стал.

— А зачем он приходил? — спросил я вместо этого.

— Конечно, для того, чтобы увидеть меня. Он сказал, что так как хорошо знает моего брата, то есть тебя, то надеется, что ему будет позволено познакомиться с его очаровательной сестрой... то есть с твоей очаровательной сестрой... ну вот, я окончательно запуталась... но ты меня понял.

— И о чем же он говорил?

— Он мне много чего рассказал о себе и о своих расследованиях. Ты знаешь, что князь Павел Моранский женился на танцовщице?

— Да неужели?

— Я читала об этом очень интересную заметку в «Светских слухах» несколько дней назад. Там намекалось на то, что в действительности она русская великая княжна, которой удалось сбежать от большевиков. Так вот, оказывается, месье Пуаро удалось раскрыть ужасную тайну одного убийства, которая угрожала им обоим. Князь Павел не знал, как его отблагодарить[1].

---

[1] Об этих событиях повествует рассказ «Король треф» в сборнике А. Кристи «Ранние дела Пуаро».

— Он вручил ему булавку для галстука с изумрудом размером с яйцо зуйка?[1]

— Он об этом ничего не сказал. А почему ты спрашиваешь?

— Да так, — ответил я. — Я думал, так всегда делается. По крайней мере, в детективных романах. У супердетективов комнаты всегда забиты рубинами, жемчугом и изумрудами, которые им дарят клиенты из королевских семей.

— Было очень интересно услышать обо всем этом от непосредственного участника, — благодушно заметила моя сестра.

Для Кэролайн — несомненно. Я не мог не восхищаться прозорливостью месье Эркюля Пуаро, который из великого множества своих дел смог выбрать именно то, которое будет особенно интересно для пожилой леди, живущей в небольшой деревне.

— Так он подтвердил, что танцовщица — это настоящая великая княжна?

— Он не имел права этого говорить, — с важным видом ответила Кэролайн.

Я задумался, сколько Пуаро пришлось присочинить, когда он общался с моей сестрицей, — может быть, и совсем ничего. Ведь все свои намеки он наверняка сопровождал движениями бровей и пожиманием плеч.

— После такого рассказа, — заметил я, — ты была готова есть у него с руки.

— Не будь злым, Джеймс. Не понимаю, где ты нахватался этих ужасных выражений.

— Наверное там, где пролегает моя единственная связь с внешним миром, — у своих пациентов. К со-

---

[1] Перелетная птица размером чуть больше воробья. Вес ее яйца составляет от 5,4 до 7,2 г.

жалению, я не практикую среди королевских семей и высокородных русских *émigrés*[1]...

Кэролайн подняла очки на лоб и внимательно посмотрела на меня.

— Ты сегодня какой-то слишком брюзгливый, Джеймс. Это печень. Прими на ночь одну голубую таблетку.

Если б вы увидели меня в моем доме, то никогда бы не подумали, что я доктор медицины. Кэролайн сама решает, какие лекарства принимать — как мне, так и ей.

— К черту печень, — произнес я с раздражением. — А об убийстве вы говорили?

— Ну конечно, Джеймс. О чем еще здесь говорить? Я смогла раскрыть месье Пуаро глаза на некоторые вещи. Он был мне очень благодарен. Сказал, что я прирожденный детектив и прекрасно разбираюсь в психологии людей.

Кэролайн была в точности как кошка, которая под завязку наелась жирной сметаны. Казалось, еще немного, и она замурлычет от удовольствия.

— Он очень много говорил о маленьких серых клеточках и об их функциях. Сказал, что у него они высшего качества.

— Не сомневаюсь в этом, — заметил я с горечью. — Скромность отнюдь не относится к числу его достоинств.

— Как было бы хорошо, Джеймс, если бы в тебе было поменьше этого американского. Месье Пуаро считает, что Ральфа необходимо найти как можно скорее. Или он должен появиться сам и ответить на все вопросы. Еще он сказал, что отсутствие Ральфа

---

[1] Эмигрантов (*фр.*).

отрицательно скажется на результатах досудебного расследования.

— И что ты на это сказала?

— Я с ним согласилась, — произнесла Кэролайн важным голосом. — И еще я рассказала ему, что люди говорят об этом уже сейчас.

— Кэролайн, — резко спросил я свою сестрицу, — а ты рассказала месье Пуаро, что подслушала в лесу?

— Конечно, — значительно сказала она.

Я вскочил и стал ходить по комнате. Наконец резко бросил:

— Надеюсь, ты понимаешь, что делаешь. Ты просто затягиваешь петлю на шее Ральфа Пейтона, и это так же верно, как и то, что сейчас ты сидишь напротив меня.

— И совсем нет, — сказала Кэролайн, совсем не разволновавшись. — Я была удивлена, что *ты сам* не рассказал ему этого.

— Я специально постарался этого не делать, — ответил я, — потому что этот парень мне нравится.

— Мне тоже. Именно поэтому я считаю, что ты говоришь глупости. Я не верю, что Ральф совершил убийство, поэтому правда никак не может ему повредить; и кроме того, мы должны всячески помогать месье Пуаро. Только подумай: скорее всего, Ральф был с той девушкой всю ночь, а если это так, то у него прекрасное алиби.

— Если у него такое прекрасное алиби, — огрызнулся я, — то почему он не появится и не расскажет о нем?

— Потому что это может бросить тень на девушку, — с видом превосходства объяснила мне Кэролайн. — А вот если месье Пуаро разыщет ее и разъяснит ее обязанности, то она придет сама и снимет с Ральфа все обвинения.

— Мне кажется, Кэролайн, что ты себе выдумала какую-то романтическую волшебную сказку, — заметил я. — Я всегда говорил тебе, что ты читаешь слишком много макулатуры. — Снова опустился в кресло. — Пуаро задавал тебе еще какие-нибудь вопросы?

— Только о пациентах, которые были у тебя в то утро.

— О пациентах? — Я не поверил своим ушам.

— Ну да. О пациентах, которые приходили на операцию. Кто это был и сколько их было.

— И ты хочешь сказать, что смогла ответить на этот вопрос? — Мой голос звучал требовательно.

Кэролайн была неподражаема.

— А почему нет? — с гордостью спросила она в ответ. — Из этого окна я вижу всю дорожку к хирургическому кабинету. А память, Джеймс, у меня отличная. Гораздо лучше, чем у тебя, позволь заметить.

— Я в этом не сомневаюсь, — механически пробормотал я себе под нос.

А моя сестрица продолжала, загибая пальцы:

— Старая миссис Беннет; мальчик с фермы с повреждением пальца; Долли Грайс, которой надо было вынуть иголку из пальца; этот американский стюард с корабля... Дай подумать — я насчитала четырех... Ах да, еще старый Джордж Эванс со своей язвой. И, наконец...

Она важно замолчала.

— Ну же, говори!

Для Кэролайн настал момент высшего триумфа. Из-за бесчисленного количества звуков «с» в середине имени оно прозвучало, как шипение змеи.

— Мис-с-с-с Рас-с-с-сел!

Кэролайн откинулась на спинку кресла и со значением посмотрела на меня, а если моя сестрица смотрит на кого-то со значением, то не заметить этого нельзя.

— Не знаю, что ты хочешь этим сказать. — Мои слова прозвучали совсем лживо. — А почему мисс Рассел не может проконсультироваться по поводу своего больного колена?

— Больное колено, — передразнила меня Кэролайн. — Полная ерунда! Колено у нее болит не больше, чем у тебя или у меня. Ей нужно было совсем другое.

— И что же, по-твоему? — поинтересовался я.

Кэролайн пришлось признаться, что этого она не знает.

— Но можешь быть уверен, именно это-то и интересовало его больше всего — я имею в виду месье Пуаро. В этой женщине есть что-то скользкое, и он это прекрасно понимает!

— Именно это мне и сказала вчера миссис Экройд, — подтвердил я. — Что в мисс Рассел есть что-то скользкое.

— А-а-а! — многозначительно произнесла моя сестра. — Как же. Еще одна!

— Еще одна — кто?

Однако Кэролайн не стала ничего объяснять. Она просто несколько раз кивнула, свернула свое вязание и отправилась наверх, чтобы надеть шелковую блузку с высоким воротом и золотой кулон — это называлось у нее переодеться к обеду.

Я остался сидеть, глядя на пламя камина и обдумывая слова Кэролайн. Действительно ли Пуаро нужна была информация о мисс Рассел или это была интерпретация моей сестрицы, которую она просто подогнала под свое собственное суждение?

В то утро в манерах мисс Рассел не было ничего, что могло бы вызвать подозрение. И тем не менее...

Я вспомнил разговор о наркотиках, с которого она перевела беседу на яды и отравления. Но в этом не было ничего такого — ведь Экройда не отравили. И все-таки это было странно...

Я услышал язвительный голос Кэролайн, прозвучавший с верхней площадки:

— Джеймс, ты опоздаешь к обеду.

Подбросив угля в камин, я послушно поднялся наверх.

При любых обстоятельствах в доме важно сохранять мир.

Глава 12
ВСЕ СОБИРАЮТСЯ ЗА СТОЛОМ

В понедельник состоялось досудебное расследование.

Я не собираюсь в деталях описывать данную процедуру — это будет означать еще одно повторение того, что и так хорошо всем известно. По договоренности с полицией до публики был донесен минимум информации. Я дал показания относительно причин и возможного времени смерти. Отсутствие Ральфа Пейтона было отмечено коронером[1], но никак не подчеркивалось.

После этого мы с Пуаро перекинулись несколькими фразами с Рэгланом. Инспектор был очень мрачен.

— Все очень плохо, месье Пуаро, — сказал он. — Поверьте, я пытаюсь подойти к этому делу без всякого предубеждения. Ведь я сам местный житель и много раз видел капитана Пейтона в Кранчестере. Я не хочу сделать из него виновного — но, с какой стороны ни посмотри, ситуация очень серьезная. Если он не виновен, то почему не появляется на людях? У нас есть свидетельства против него, но любые свидетельства и улики могут иметь свое объяснение. Так почему он не хочет ничего объяснить?

---

[1] Официальный чиновник, ответственный за проведение досудебного расследования.

Тогда слова инспектора значили гораздо больше, чем я из них понял. Описание Ральфа было послано на каждую железнодорожную станцию и в каждый порт Англии. Вся полиция была настороже. За его городской квартирой, так же как и за домами, в которых он бывал, постоянно наблюдали. При таком положении дел у Ральфа не было никаких шансов скрыться. У него не было ни багажа, ни, насколько это было известно, денег.

— Я не смог найти никого, кто видел бы его на станции в ту ночь, — продолжил инспектор. — А ведь Пейтона здесь хорошо знают, так что его наверняка кто-нибудь узнал бы. Из Ливерпуля тоже нет никаких новостей.

— А вы думаете, что он уехал в Ливерпуль? — спросил Пуаро.

— Это мне кажется очевидным. Телефонный звонок со станции за три минуты до отправления ливерпульского экспресса говорит сам за себя.

— Если только это не было сделано специально, чтобы сбить вас со следа. Вполне возможно, что именно это и было главной целью звонка.

— Неплохая идея, — радостно согласился инспектор. — Так вы думаете, что телефонный звонок объясняется именно этим?

— Друг мой, — заметил Пуаро серьезным голосом, — я не знаю. Могу сказать только следующее: когда мы сможем объяснить этот телефонный звонок, тогда и раскроем убийство.

— Насколько я помню, вы уже говорили нечто подобное, — вспомнил я, с любопытством глядя на маленького бельгийца.

Пуаро согласно кивнул.

— Я постоянно возвращаюсь к этой мысли, — с серьезным видом произнес он.

— А мне так кажется, что это не имеет вообще никакого значения, — заявил я.

— Я бы так не сказал, — примирительно заметил инспектор. — Но считаю, что мистер Пуаро придает этому звонку слишком много значения. У нас есть улики посильнее звонка. Например, отпечатки пальцев на рукоятке кинжала.

Неожиданно Пуаро заговорил с иностранным акцентом, что случалось с ним только тогда, когда он бывал чем-то очень взволнован.

— *Monsieur l'inspecteur*[1], — сказал он, — осторожнее с выходом... с выходом — *comment dire*[2] — такая маленькая улочка без выхода.

Инспектор Рэглан тупо смотрел на него. Я соображал несколько быстрее.

— Вы хотите сказать «тупик»? — предположил я.

— Вот именно — тупик, который ведет в никуда. Так же и с отпечатками этих пальцев — они могут завести вас в никуда.

— Не понимаю, как такое может произойти, — засомневался офицер полиции. — Вы, наверное, намекаете, что они могут быть фальшивкой? Я читал о чем-то подобном, но в моей биографии таких случаев не было. В любом случае настоящие или фальшивые, но они нас обязательно *куда-нибудь* да приведут.

Пуаро только пожал плечами и широко развел руки.

После этого инспектор показал нам несколько увеличенных фотоотпечатков и углубился в вопрос бороздок и завитков.

---

[1] Господин инспектор (*фр.*).

[2] Как это говорится (*фр.*).

— Согласитесь же, — сказал он наконец, расстроенный тем, что детектив его совсем не слушает, — что эти отпечатки оставлены кем-то, кто был в доме в тот вечер.

— *Bien entendu*[1], — сказал Пуаро, кивая.

— Мы сняли отпечатки пальцев у всех, кто находился в доме — абсолютно у всех, начиная со старухи и кончая кухонной служанкой.

Не думаю, что миссис Экройд понравилось, если бы она услышала, что ее называют старухой. Было ясно, что на косметику она тратит немалые деньги.

— У всех, — поспешно повторил инспектор еще раз.

— Включая и меня, — сухо напомнил я.

— Очень хорошо. Ни одни из них не совпали с отпечатками на рукоятке. Значит, у нас только два варианта: или Ральф Пейтон, или таинственный незнакомец, о котором нам тут рассказывает доктор. Когда мы возьмем обоих...

— Вы могли потерять много драгоценного времени, — прервал его Пуаро.

— Я не совсем вас понимаю, мистер Пуаро.

— Вы сказали, что взяли отпечатки у всех, кто находился в тот вечер в доме, — голос Пуаро звучал негромко. — И вы в этом абсолютно уверены, *monsieur l'inspecteur*?

— Ну конечно.

— И никого не пропустили?

— И никого не пропустили.

— Ни живых, ни мертвых?

На минуту инспектор выглядел сбитым с толку тем, что он посчитал замечанием уже религиозного характера. Потом очень медленно произнес:

---

[1] Конечно (*фр.*).

— Вы хотите сказать...

— Я говорю о мертвых, *monsieur l'inspecteur*.

Инспектору потребовалась еще пара минут, чтобы все окончательно понять.

— Я предполагаю, — произнес Пуаро безмятежным голосом, — что отпечатки на рукоятке кинжала принадлежат самому мистеру Экройду. И это очень легко проверить — ведь его еще не похоронили.

— Но почему? В чем смысл? Вы ведь не предполагаете, что это было самоубийство.

— О нет. Я считаю, что на убийце были перчатки или он замотал чем-то руки. После того как удар был нанесен, он взял руку мистера Экройда и сжал ее на ручке кинжала.

— Но с какой целью?

Пуаро опять пожал плечами.

— Чтобы сделать это запутанное преступление еще более запутанным.

— Ну что же, — сказал инспектор, — я обязательно проверю. А когда вы вообще об этом задумались?

— Когда вы показали мне кинжал и любезно позволили изучить отпечатки. Я небольшой специалист по бороздкам и завиткам — как видите, я этого и не скрываю, — но мне пришло в голову, что отпечатки расположены несколько... неуклюже. Я бы не держал так рукоятку, если б хотел нанести удар. Понимаете, если вы бьете сверху и из-за спины, то при таком захвате вам будет сложно попасть в цель.

Инспектор Рэглан молча уставился на бельгийца. Пуаро с равнодушным видом смахнул соринку с рукава своего пальто.

— Да, — сказал полицейский. — А ведь это идея. Я тут же этим займусь, но не сильно расстраивайтесь, если из этого ничего не получится.

Он постарался, чтобы его слова прозвучали мягко и покровительственно. Пуаро проводил его глазами, а потом повернулся ко мне.

— В следующий раз мне надо быть поосторожнее с его *amour propre*[1]. Ну а теперь, когда нас оставили в покое, как вы думаете, мой добрый друг, не пора ли нам устроить небольшое воссоединение всего семейства?

Это «небольшое воссоединение», как назвал его Пуаро, состоялось через полчаса или через час. Мы сидели вокруг стола в столовой «Фернли». Пуаро, сидевший во главе стола, был похож на председателя совета директоров какой-то вымышленной компании. Слуг приглашать не стали, поэтому всего нас было шестеро: миссис Экройд, Флора, майор Блант, молодой Реймонд, Пуаро и ваш покорный слуга.

Когда все уселись по местам, детектив встал и поклонился.

— Дамы и господа, я собрал вас всех с определенной целью... — Он помолчал. — Но начать я хотел бы с нижайшей просьбы к мадемуазель.

— Ко мне? — переспросила Флора.

— Мадемуазель, вы помолвлены с капитаном Ральфом Пейтоном. Если он кому-то и верит, то это вам. Я совершенно серьезно умоляю вас, если только вам известно его местонахождение, убедить его выйти из своего укрытия. Одну минуточку, — сказал он, когда Флора подняла голову, чтобы заговорить, — ничего не надо говорить, пока вы всё хорошенько не обдумаете. Мадемуазель, его ситуация становится с каждым днем все опаснее и опаснее. Если б он не стал прятаться, то, независимо от

---

[1] Самолюбием (*фр.*).

того, сколь серьезны улики против него, он мог бы объясниться. А вот это молчание, это бегство — как вы думаете, что полиция думает по данному поводу? Естественно, только одно — то, что он виновен. Мадемуазель, если вы действительно верите в его невиновность, уговорите его сдаться, пока еще не слишком поздно.

Флора побелела как бумага.

— Слишком поздно, — повторила она глухим голосом.

Сыщик наклонился в ее сторону и не отрывал от нее глаз.

— Понимаете, мадемуазель, — сказал он очень мягко, — сейчас вас об этом просит папа Пуаро. Старый папаша Пуаро, очень опытный и мудрый. Я не собираюсь заманивать вас в ловушку, мадемуазель. Разве вы не поверите мне и не скажете, где прячется Ральф Пейтон?

Девушка встала и теперь стояла, глядя ему прямо в глаза.

— Месье Пуаро, — произнесла она ясным голосом, — я вам клянусь, торжественно клянусь, что не знаю, где прячется Ральф Пейтон, и что я не видела его и ничего от него не слышала ни в день убийства, ни после него.

Она опять села на свое место. Несколько минут сыщик молча смотрел на нее, а потом резко хлопнул рукой по крышке стола и произнес:

— *Bien!*[1] Да будет так. — На его лице появилось жесткое выражение. — Тогда я обращаюсь ко всем здесь присутствующим: миссис Экройд, майор Блант, доктор Шеппард, мистер Реймонд — все вы или друзья капитана, или близко знали пропавшего.

---

[1] Хорошо! (*фр.*)

Если кто-то из вас знает, где он прячется, — скажите об этом.

Повисла длинная пауза. Пуаро по очереди посмотрел на каждого из нас.

— Умоляю вас, — сказал он глухим голосом, — не молчите.

Все молчали, пока наконец не заговорила миссис Экройд.

— Я должна сказать, — сказала она похоронным голосом, — что отсутствие Ральфа в такой момент совершенно необъяснимо. Скрываться в такой ситуации... Все выглядит так, как будто *за всем этим* что-то скрывается. Я теперь все время думаю, Флора, дорогая, что это большое счастье, что мы формально не огласили твою помолвку.

— Мама! — в сердцах воскликнула девушка.

— Это Провидение, — объявила миссис Экройд. — Я глубоко верю в Провидение — «Божество, устраивающее наши судьбы»[1], как прекрасно написал Шекспир.

— Не будете же вы напрямую обвинять Всемогущего в том, что у кого-то толстые коленки, правда? — спросил Джоффри Реймонд, и комната наполнилась его безответственным смехом.

Мне кажется, что он сказал это для того, чтобы ослабить напряжение момента, но миссис Экройд с осуждением посмотрела на него и достала платочек.

— Флоре удалось избежать массы юридических и всяких других неприятностей. Я ни на секунду не думаю, что наш дорогой Ральф имеет какое-то отношение к смерти бедняжки Роджера. Я так *не думаю*. Но у меня очень доброе сердце — оно с детства было

---

[1] Шекспир У. «Гамлет», *пер. Б. Пастернака.*

таким добрым. Я ненавижу думать о людях плохо. И тем не менее мы не должны забывать, что Ральф, еще будучи ребенком, несколько раз попадал под бомбежки. Говорят, что результаты таких стрессов могут быть весьма отдаленными. И в этом случае люди совершенно не отвечают за свои поступки. Они, знаете ли, теряют над собой контроль и ничего не могут с этим поделать.

— Мама, — воскликнула Флора, — но ведь ты же не веришь, что это мог совершить Ральф!

— Действительно, миссис Экройд, — подал голос майор Блант.

— Я не знаю, что и думать, — в голосе миссис Экройд послышались слезы. — Все это просто убивает... Интересно, а что будет с этим домом, если Ральфа признают виновным?

Реймонд резко отодвинул свой стул от стола. Майор Блант молча сверлил ее глазами.

— У него же вполне мог быть какой-нибудь шок от контузии, — упорно продолжала миссис Экройд. — А я должна сказать, что Роджер всегда давал ему очень мало денег. Конечно, из лучших побуждений. Вижу, что вы все сейчас против меня, и тем не менее я не забываю, что Ральф так и не показался — а это очень странно. И еще раз повторюсь: я рада, что мы не объявили о помолвке Флоры официально.

— Это произойдет завтра же, — сказала девушка своим ясным голосом.

— Флора! — в ужасе воскликнула ее мать.

Мисс Экройд повернулась к секретарю.

— Не могли бы вы послать соответствующие объявления в «Морнинг пост» и в «Таймс», мистер Реймонд?

— Если вы считаете, что так будет лучше, мисс Экройд, — серьезно заметил секретарь.

Девушка импульсивно повернулась к Бланту.

— Вы меня понимаете? — спросила она. — Что еще я могу сделать? В такой ситуации я должна держаться за Ральфа. Вы же это видите, правда?

Она смотрела на него в немом ожидании, и через какое-то время майор утвердительно кивнул.

Миссис Экройд чуть не захлебнулась криками протеста. Флора не обратила на нее никакого внимания. Потом заговорил Реймонд:

— Я полностью понимаю ваши мотивы, мисс Экройд. Но не кажется ли вам, что вы слишком торопитесь? Давайте подождем пару дней.

— Завтра, — повторила Флора все тем же чистым голосом. — И не надо причитать, мама. Кем бы я ни была, но своих друзей я не предаю.

— Месье Пуаро, — сквозь слезы обратилась миссис Экройд к сыщику. — Вы так ничего и не скажете?

— Здесь и говорить не о чем, — подал голос майор. — Она все правильно делает. Я буду рядом с нею до конца.

Флора протянула ему руку.

— Благодарю вас, майор Блант, — сказала она.

— Мадемуазель, — заговорил Пуаро, — вы позволите старику восхититься вашей смелостью и верностью? И постарайтесь понять меня, если я попрошу вас — попрошу вас со всей торжественностью — отложить объявление о помолвке по крайней мере на два дня.

Флора заколебалась.

— Я прошу об этом как в интересах Ральфа Пейтона, так и в ваших собственных, мадемуазель. Вижу, что вы хмуритесь. Вы не понимаете, как такое может быть. Но уверяю вас, что это именно так. *Pas de blagues*[1]. Вы доверили мне это дело — так не препятствуйте же мне сейчас.

Прежде чем ответить, Флора помолчала несколько минут.

— Мне все это не нравится, — ответила она наконец, — но я сделаю так, как вы просите.

И она опять уселась за стол.

— А теперь, дамы и господа, — быстро проговорил Пуаро, — я продолжу. Поймите меня правильно, я должен найти правду. Правда, какой бы уродливой она ни была, для человека, который ее ищет, всегда удивительна и прекрасна. Я уже старик, и мои силы уже не те, что были раньше. — Было видно, что сыщик ждет возражений. — Вполне возможно, что это мое последнее дело. Но Эркюль Пуаро не закончит свою карьеру неудачей. Дамы и господа, я еще раз повторяю — я обязательно *узнаю* правду. И узнаю ее, несмотря на вас всех.

Последние слова он произнес с вызовом, как бы бросив их нам в лицо. Мне показалось, что мы все как бы отшатнулись — все, за исключением Джоффри Реймонда, которому чувство юмора не изменило и на этот раз.

— Что вы имеете в виду — *несмотря на нас всех?* — переспросил он, слегка приподняв брови.

— Только то, что сказал, месье. Каждый из вас, сидящих в этой комнате, что-то от меня скрывает... — Подняв руку, он прекратил поднявшийся было шум протестов. — Да, да, я знаю, о чем говорю. Это может быть чем-то совсем неважным и совершенно тривиальным, что, на ваш взгляд, не имеет

---

[1] Кроме шуток (*фр.*).

никакого отношения к делу, но оно существует. *У каждого из вас есть что-то, что он скрывает.* Ну скажите честно, я прав?

Он обвел всех одновременно вызывающим и обвиняющим взглядом. И все под этим взглядом опустили глаза. Включая и меня.

— Я получил свой ответ, — сказал Пуаро со странным смешком и встал. — Я еще раз обращаюсь ко всем вам — расскажите мне правду, всю правду. — И опять мертвая тишина. — Так никто и не заговорит?

И детектив опять рассмеялся тем же странным смехом.

— *C'est dommage*[1], — сказал он и вышел из комнаты.

---

[1] Жаль (*фр.*).

Глава 13
ГУСИНОЕ ПЕРЫШКО

В тот вечер, по приглашению Пуаро, я обедал у него дома.

Я заметил, что Кэролайн следит за моими сборами с видимым неодобрением. Думаю, что она всем сердцем хотела отправиться со мною.

Пуаро оказался гостеприимным хозяином. Он выставил на стол бутылку ирландского виски (которое я ненавижу) вместе с сифоном с содовой и стаканом.

Сам он был занят приготовлением горячего шоколада. Как я позже выяснил, это был его любимый напиток.

Он вежливо осведомился о моей сестре, которую объявил очень интересным человеком.

— Боюсь, что после разговора с вами она просто потеряла голову, — сухо заметил я. — Что там у вас произошло в воскресенье днем?

Сыщик рассмеялся и подмигнул мне.

— Я люблю обращаться к мнению экспертов, — таинственно произнес он, но наотрез отказался пояснить свои слова.

— В любом случае теперь вы в курсе всех местных слухов, как правдивых, так и не очень, — заметил я.

— А кроме того, получил массу очень ценной информации, — негромко добавил детектив.

— Как, например?..

Бельгиец покачал головой.

— Почему вы не сказали мне правды? — задал он встречный вопрос. — Ведь в месте, подобном этому, все, что бы ни сделал Ральф Пейтон, мгновенно стало бы известно окружающим. И если бы в тот день по лесу не прошла ваша сестра, то это сделал бы кто-нибудь другой.

— Думаю, что вы правы, — ворчливо ответил я. — А почему вас так заинтересовали мои пациенты?

Пуаро опять подмигнул.

— Один пациент, доктор. Только один.

— Последний, — предположил я.

— Мисс Рассел представляется мне фигурой, достойной самого пристального изучения, — ушел он от прямого ответа.

— И вы согласны с моей сестрой и миссис Экройд, когда они говорят, что в ней есть что-то скользкое? — задал я еще один вопрос.

— Простите? Как вы сказали — скользкое?

Я постарался в меру своих сил и способностей объяснить ему это выражение.

— Это эти дамы так говорят, я правильно вас понял?

— А разве моя сестра не рассказала вам все это вчера днем?

— *C'est possible* [1].

— Безо всяких на то оснований, — объявил я.

— *Les femmes* [2], — глубокомысленно заметил Пуаро. — Они просто восхитительны! Это они придумали Его Величество Случай — и, как ни странно, оказались правы. Хотя речь идет совсем не о случайностях. Женщины подсознательно замечают

---

[1] Возможно (*фр.*).
[2] Женщины (*фр.*).

тысячи мелких деталей, даже не задумываясь об этом. И вот их подсознание обрабатывает эти детали — а результат этого они называют интуицией. Сам я большой специалист в психологии. Я все это хорошо знаю.

С важностью надув грудь, Пуаро принял настолько нелепый вид, что я с трудом удержался от смеха. Потом он сделал небольшой глоток шоколада и аккуратно промокнул усы салфеткой.

— Мне бы очень хотелось, — неожиданно вырвалось у меня, — чтобы вы рассказали мне, что вы действительно обо всем этом думаете.

— Вам этого хочется? — переспросил он, поставив чашку.

— Очень.

— Вы видели то же, что и я. Неужели мы оцениваем произошедшее по-разному?

— Мне кажется, что вы надо мной смеетесь, — произнес я напряженным голосом. — Вы же знаете, что в таких делах у меня нет никакого опыта.

Пуаро снисходительно улыбнулся.

— Вы как маленький ребенок, которому очень хочется понять, как работает двигатель. Вы хотите видеть произошедшее не глазами семейного врача, а глазами детектива, который не признает никаких авторитетов и ни за кого не волнуется. Для этого детектива все окружающие одинаковы — и достойны подозрения.

— Вы хорошо сказали, — согласился я.

— Тогда я прочитаю вам небольшую лекцию. Прежде всего мы должны понять, что произошло в тот вечер, — и при этом не забывать, что любой человек, с которым мы говорим, может лгать.

Я с удивлением поднял брови.

— Подозревать абсолютно всех — странный подход.

— Но необходимый. Уверяю вас, совершенно необходимый. Вот, например, доктор Шеппард вышел из дома без десяти девять — а откуда это известно?

— Потому что я вам это сказал.

— Но вы можете говорить неправду или ваши часы могут показывать неправильное время. Но Паркер тоже говорит, что вы вышли из дома без десяти девять. И мы принимаем это заявление на веру и двигаемся дальше. В девять часов вы встречаете человека — и здесь мы сталкиваемся с тем, что я бы назвал «загадкой таинственного незнакомца», — прямо перед воротами поместья. Откуда я знаю, что все было именно так?

— Я вам так рассказал, — начал я снова, но Пуаро прервал меня нетерпеливым жестом.

— Ах вот как! Мне кажется, что сегодня вечером, мой друг, вы слегка поглупели. *Вы* знаете, что это так, но *я-то* откуда это знаю? *Eh bien*, сейчас я уже могу сказать вам, что этот таинственный незнакомец не был вашей галлюцинацией, потому что горничная мисс Ганнет встретила его за несколько минут до вас, и ее он тоже спрашивал о том, как пройти в «Фернли-парк». Значит, мы соглашаемся, что он действительно существовал, и можем быть уверены в двух вещах: он был человеком, неизвестным в округе, и он не делал секрета из того, что ему надо пройти в «Фернли», потому что спрашивал дорогу у двух разных людей.

— Понимаю, — сказал я.

— Тогда я задался целью узнать об этом человеке побольше. Я узнал, что он выпил рюмку в баре «Трех кабанов», и официантка заметила, что он го-

170 ворил с американским акцентом. И рассказывал о том, что только-только приехал из Штатов. Вы не обратили внимания на то, что у него был американский акцент?

— Наверное, да, — мне потребовалось несколько минут, чтобы восстановить подробности того вечера. — Но очень легкий.

— *Précisément*[1]. Кроме того, как вы помните, в летнем сарае я нашел вот это.

И сыщик протянул мне перышко. Я с любопытством осмотрел его. Неожиданно на ум мне пришло что-то, что я когда-то читал.

Пуаро, внимательно наблюдавший за мной, кивнул.

— Вот именно, героин. Наркоманы носят его в стволах таких перьев, а потом подносят их к ноздрям и вдыхают порошок.

— Диаморфина гидрохлорид[2], — механически пробормотал я.

— Подобный способ приема наркотика очень популярен по ту сторону океана. Это еще одно доказательство, если оно вообще нам нужно, что человек прибыл или из Канады, или из Штатов.

— А что привлекло вас к этому сараю? — с любопытством спросил я.

— Мой друг инспектор сразу же решил, что любой, кто пользуется той тропинкой, делает это для того, чтобы срезать угол по пути к дому. Но как только я увидел сарай, то понял, что по этой же тропинке будут идти люди, которые используют это строение как место тайных свиданий. Было очевидно, что незнакомец не входил в дом ни через парадный, ни через задний вход. А не мог ли кто-то из до-

---

[1] Абсолютно точно (*фр.*)
[2] Химическая формула героина.

ма выйти и встретиться с ним? А если это так, то где это было сделать удобнее всего, как не в сарае? И я обыскал его в надежде, что смогу найти какую-нибудь улику. Я нашел их целых две — клочок батиста и перо.

— А этот клочок батиста? — не унимался я. — Что это такое?

Пуаро поднял брови.

— Вы совсем не пользуетесь своими серыми клеточками, — сухо заметил он. — Ведь этот клочок накрахмаленного батиста говорит сам за себя.

— Для меня это не очевидно, — сказал я и решил поменять тему разговора: — Итак, вы считаете, что этот человек пришел в сарай, чтобы с кем-то встретиться. Так с кем же?

— Отличный вопрос! — воскликнул сыщик. — А вы не забыли, что миссис Экройд и ее дочь приехали сюда из Канады?

— И это вы имели в виду, когда сегодня обвинили их в том, что они скрывают правду?

— Возможно. Теперь пойдем дальше. Что вы думаете об этой истории с буфетчицей?

— Какой истории?

— О ее увольнении. Неужели для того, чтобы уволить служанку, нужно целых полчаса? А разве история об этих важных бумагах кажется вам правдоподобной? И не забывайте: хотя она и говорит, что была у себя в комнате с девяти тридцати до десяти вечера, никто в доме этого не может подтвердить!

— Вы меня совсем запутали, — заметил я.

— А для меня все становится понятнее. Но я бы хотел услышать ваши собственные теории и предположения.

Я достал из кармана листок бумаги и пояснил извиняющимся тоном:

— Я как раз записал некоторые мои предположения.

— Это прекрасно — вы работаете по системе. Давайте послушаем.

Я начал читать несколько смущенным голосом:

— Начнем с того, что на вещи надо смотреть с точки зрения логики...

— Точно так же говорил мой несчастный Гастингс, — прервал меня Пуаро. — Но, увы, сам он этого никогда не делал.

— *Пункт № 1* — мистер Экройд разговаривал с кем-то в половине десятого.

— *Пункт № 2* — в какой-то момент тем вечером Ральф Пейтон забрался в дом через окно, о чем свидетельствуют отпечатки его ботинок.

— *Пункт № 3* — в тот вечер мистер Экройд сильно нервничал и не впустил бы к себе незнакомого человека.

— *Пункт № 4* — человек, бывший у мистера Экройда в половине десятого вечера, требовал у него деньги, а мы знаем, что у Ральфа Пейтона были финансовые трудности.

Все эти четыре пункта указывают на то, что в половине десятого у мистера Экройда находился Ральф Пейтон. Но мы знаем, что мистер Экройд был все еще жив без четверти десять, поэтому убил его не Ральф Пейтон. Он просто оставил окно открытым, и убийца проник в дом через него.

— И кто же был этим убийцей? — поинтересовался Пуаро.

— Незнакомец из Америки. Вполне возможно, что он действовал на пару с Паркером, и именно дворецкий был тем человеком, который шантажировал миссис Феррарс. Если это так, то Паркер мог услышать достаточно, чтобы понять, что игра проиграна, и рассказать об этом своему сообщнику. А тот совершил убийство кинжалом, который передал ему все тот же Паркер.

— Ну что ж, теория неплоха, — признал Пуаро. — Какое-то серое вещество у вас имеется. Но она не охватывает массу вещей.

— Например?

— Телефонный звонок. Выдвинутое кресло...

— Вы что, действительно считаете кресло важным фактом? — прервал я сыщика.

— Может быть, и нет, — согласился мой друг. — Его могли выдвинуть совершенно случайно, а Блант или Реймонд задвинули его бессознательно, находясь в шоке по поводу всего происшедшего. И не забывайте о пропавших сорока фунтах...

— Которые Экройд передал Ральфу, — предположил я. — Он мог изменить свое мнение.

— И все равно одна вещь остается необъясненной.

— Какая же?

— Почему Блант так уверен, что в половине десятого в кабинете мистера Экройда находился именно Реймонд?

— Но он же это объяснил.

— Вы так думаете? Хорошо, оставим это. Лучше скажите мне, в чем причины исчезновения Пейтона?

— Вот это будет посложнее, — медленно произнес я. — Здесь я буду говорить как врач. Думаю, что у Ральфа сдали нервы. Если он узнал, что его дядю убили через несколько минут после того, как его он покинул, и, вполне возможно, после довольно напряженного разговора, он вполне мог запаниковать

174 и исчезнуть. Бывает, что невиновные люди ведут себя как виновные — такое иногда случается.

— Да, здесь вы правы, — согласился со мной Пуаро. — Но мы не должны забывать об одном...

— Я знаю, о чем вы сейчас скажете, — заметил я. — О мотиве. Ральф Пейтон после смерти дяди становится наследником громадного состояния.

— Это один из возможных мотивов.

— Один из?..

— *Mais oui*[1]. Вы что, не видите, что на поверхности лежат целых три мотива? Ведь кто-то же стащил голубой конверт со всем его содержимым. Вот вам один мотив — шантаж! Ральф Пейтон мог быть тем человеком, который шантажировал миссис Феррарс. Помните, Хэммонд говорил о том, что не слышал, чтобы Ральф обращался за помощью к своему дяде в последнее время. Выглядит так, как будто у него появился новый источник денег. Кроме того, мы знаем о том, что он — как вы тогда сказали? — влип и не хотел, чтобы об этом узнал его дядя. Ну и третий мотив вы сами только что назвали.

— Боже мой, — сказал я ошарашенно. — Кажется, что все указывает только на него.

— Неужели? — спросил Пуаро. — Вот в этом-то мы с вами и расходимся. Три мотива, на мой взгляд, — это чересчур. Я склонен верить в то, что, несмотря ни на что, Ральф Пейтон не виновен.

---

[1] Ну да (*фр.*).

Глава 14
МИССИС ЭКРОЙД

После вечернего разговора, о котором я только что рассказал, дело перешло в другую фазу. Вообще все расследование этого преступления можно разделить на две части, которые резко отличались друг от друга. Первая часть — это то, что происходило с момента смерти Экройда в пятницу вечером и до вечера понедельника. Я вполне мог бы рассказать об этом от имени самого Эркюля Пуаро. Все время расследования я был рядом с бельгийцем и видел все то, что видел и он. Я старательно пытался прочитать его мысли — и, как теперь понимаю, потерпел фиаско. Хотя Пуаро и показывал мне все найденные им улики — например, золотое кольцо, — он скрывал от меня важные логические выводы, которые формировались у него в голове. Как я позже узнал, такая таинственность была чертой его характера. Он обычно высказывал намеки и предположения, но никогда не шел дальше этого.

Как я уже сказал, мое повествование до вечера понедельника вполне могло бы быть рассказом самого Пуаро. Я выступал при нем в роли доктора Ватсона при Шерлоке Холмсе. А вот после понедельника наши пути разошлись. Пуаро в одиночку занимался своими делами. Я слышал обо всем, что он делал, потому что в Кингс-Эббот вы слышите все, — но сам он ничем со мною не делился. Да и у меня тоже были свои дела.

Сейчас, когда я оглядываюсь назад, то больше всего меня поражает мирное течение второго периода. Все приложили усилия к решению тайны. Она походила на большую головоломку, в которую каждый добавлял кусочек своих знаний или свое маленькое открытие. Но на этом роль публики и заканчивалась. Пуаро был единственный, кто отвечал за то, чтобы все эти кусочки были расставлены в правильном порядке.

Некоторые из произошедших вещей в тот момент казались мне пустыми и бесполезными. Например, в какой-то момент появился вопрос черных ботинок. Но это произошло несколько позже... Чтобы все шло в хронологическом порядке, я должен начать с приглашения миссис Экройд.

Она послала за мною ранним утром во вторник, и так как мне показалось, что вызов срочный, я заторопился в «Фернли», полагая, что застану ее при смерти.

Дама приняла меня лежа в кровати. Этим она воздавала должное создавшейся ситуации. Миссис Экройд протянула мне свою костлявую руку и указала на кресло, заранее поставленное возле кровати.

— Ну-с, миссис Экройд, — спросил я, присаживаясь, — так что же с нами произошло?

Я говорил с тем фальшивым добродушием, которое люди обычно ожидают услышать от семейного врача.

— Я истощена, — сказал миссис Экройд чуть слышным голосом. — Абсолютно истощена. Это все шок от смерти бедного Роджера. Говорят, что подобные вещи *сразу* можно и не почувствовать, вы меня понимаете. Реакция наступает позже.

Жаль, что профессия врача запрещает иногда говорить то, что действительно думаешь.

Я бы многое отдал за то, чтобы иметь возможность сказать: «Вздор!»

Вместо этого я предложил миссис Экройд тонизирующую микстуру. Она ее приняла. Первый шаг в игре был сделан. Я ни на минуту не сомневался, что пригласили меня вовсе не из-за шока, вызванного смертью Экройда. Но миссис Экройд по своей природе просто не может прямо перейти к интересующему ее вопросу. Она всегда подходит к нему весьма извилистыми путями. Я никак не мог понять, почему она послала именно за мною.

— А потом эта вчерашняя сцена, — продолжила моя пациентка.

Она замолчала, как будто ожидала, что я подхвачу разговор.

— Какая сцена?

— Доктор, ну как вы можете? Неужели вы уже забыли? Этот ужасный маленький француз — или он бельгиец? — впрочем, это неважно... Он так над нами измывался! Меня это очень расстроило. И это все в дополнение к смерти Роджера...

— Мне очень жаль, миссис Экройд, — произнес я.

— Я не знаю, о чем он думал, когда кричал на нас таким образом. Надеюсь, я достаточно хорошо знаю свои обязанности, чтобы *даже помыслить* скрыть хоть что-то. Я оказала полиции всю помощь, которую только могла.

Миссис Экройд замолчала.

— Ну конечно, — заметил я. До меня начало доходить, в чем была причина этого вызова.

— Никто не может обвинить меня в том, что я плохо исполнила свой долг, — продолжила миссис

178 Экройд, — и я уверена, что инспектор Рэглан был абсолютно удовлетворен. И почему же тогда этот несчастный иностранишка устраивает все это шоу? Да и выглядит он совершенно непотребно — как французский комик в третьеразрядном ревю... Не могу понять, почему Флора настояла, чтобы он занялся этим делом. Со мною она этим не поделилась. Флора слишком независима. Я женщина светская и, в конце концов, ее мать! Она должна была прежде всего посоветоваться со мной.

Я не произносил ни слова.

— Что он о себе думает? Я хочу это знать. Он что, полагает, что я что-то скрываю? Он ведь... он просто *обвинил* меня в этом вчера на глазах у всех.

Пожав плечами, я сказал:

— Уверен, миссис Экройд, что это совершенно неважно. Так как вы ничего не скрываете, то все его вчерашние высказывания вас совершенно не касаются.

Верная своим привычкам, миссис Экройд внезапно поменяла тему разговора.

— Слуги такие утомительные, — пожаловалась она. — Они постоянно сплетничают между собою. А потом это все выходит наружу... а ведь в этих сплетнях нет вообще никакого смысла.

— А что, слуги сплетничали? — поинтересовался я. — И о чем же?

Миссис Экройд очень подозрительно посмотрела на меня. Это здорово сбило меня с толку.

— Я уверена, доктор, что если это кому-нибудь известно, так это вам. Вы же все время проводили с месье Пуаро, не так ли?

— Правильно.

— Ну тогда вы наверняка это знаете. Помните эту девушку, Урсулу Борн, а? Ну и она, естественно, увольняется. И наверняка хотела бы устроить нам веселенькую жизнь. Все они очень мстительны. Все одинаковы. Вы же там были, доктор, поэтому должны знать, что она говорила... Меня волнует, как бы о нас не создалось превратное мнение. В конце концов, полиции совсем необязательно сообщать все мельчайшие детали, правда ведь? Иногда здесь могут быть замешаны семейные дела, не имеющие никакого отношения к убийству. Но если эта девица хотела отомстить, то она могла наговорить черт знает что.

Мне хватило проницательности, чтобы заметить непритворное волнение, скрывавшееся за этим словоизвержением. Пуаро был совершенно прав. По крайней мере одному из шести человек, сидевших вчера за столом, — миссис Экройд — было что скрывать. Теперь мне предстояло выяснить, что же это было такое.

— Если б я был на вашем месте, миссис Экройд, — бесцеремонно заметил я, — то сразу расставил бы все точки над *i*.

Дама слегка вскрикнула.

— Ну как же можно быть таким резким, доктор?.. Это выглядело бы... выглядело бы... Да и потом, все это так просто объяснить.

— Ну так и почему не сделать этого? — предложил я.

Миссис Экройд достала крохотный платочек, и на глазах у нее появились слезы.

— Я думала, что вы сможете рассказать об этом месье Пуаро, доктор. Как-то объяснить ему все... вы меня понимаете, иногда иностранцам так трудно бывает нас понять. А ведь вы не знаете — никто этого не знает, — с чем мне пришлось столкнуться. Это настоящие муки, бесконечные муки. Моя жизнь была именно такой. Не люблю плохо говорить о мертвых, но именно так все и было. Каждая малейшая трата рассматривалась под лупой, как будто у Роджера было всего каких-то несколько жалких сотен в год. А между тем Хэммонд рассказал мне вчера, что он был одним из богатейших людей в этой части Англии...

Миссис Экройд замолчала, чтобы промокнуть глаза платочком с оборочками.

— Да, — сказал я понимающим голосом, — так вы говорили о счетах...

— Ах, эти ужасные счета... Некоторые я совсем не хотела показывать Роджеру. Там были некоторые вещи, которые мужчина никогда не поймет. Он бы обязательно сказал, что все это бессмысленные траты. Ну вот, и вы сами понимаете, что их становилось все больше — они приходили с каждой почтой...

Она умоляюще посмотрела на меня, как будто ожидала от меня утешения в этой страшной ситуации.

— Да, со счетами всегда так происходит, — согласился я.

Тут же ее тон изменился и стал сварливым.

— Уверяю вас, доктор, я буквально превратилась в психическую развалину. Я потеряла сон по ночам. И это ужасное дрожание в районе сердца... А потом я получила письмо от одного шотландского джентльмена — если точнее, то писем было два — от двух шотландских джентльменов. Один из них был мистер Брюс Макферсон, а второй — Колин Макдоналд. Вот такое совпадение.

— Не думаю, — сухо ответил я. — Фамилии у них действительно шотландские. Но что-то говорит мне о том, что у них есть и семитские корни.

— От десяти до десяти тысяч фунтов против простого долгового обязательства, — пробормотала миссис Экройд, погружаясь в воспоминания. — Я написала одному из них, но потом возникли проблемы...

Она замолчала.

Я понял, что мы подошли к деликатной части повествования. Я не знал в своей жизни никого, кого бы так трудно было заставить высказать суть проблемы, как миссис Экройд.

— Вы же понимаете, — забормотала она, — что сумма зависит от ваших ожиданий, правильно? Я имею в виду ожидания от завещания. Я ждала, что Роджер что-то мне оставит, но *не знала* наверняка. И я подумала, что если хоть одним глазком смогла бы взглянуть на его завещание — не ради какого-то вульгарного любопытства, а так, чтобы можно было принять свое собственное решение...

Она искоса взглянула на меня. Действительно, ситуация складывалась очень деликатная. К счастью, слова, если их правильно употребить, могут скрыть уродливость голых фактов.

— Это я могу рассказать только вам, доктор Шеппард, — быстро заговорила миссис Экройд. — Я верю, что вы не сможете неверно понять меня и все правильно изложите месье Пуаро. Это произошло в пятницу во второй половине дня...

Она остановилась и неуверенно сглотнула.

— Да, — мне опять пришлось подбодрить ее, — в пятницу, во второй половине дня. И что же?

Миссис Экройд издала резкий звук, и я понял, что был недостаточно дипломатичен.

— В доме никого не было — по крайней мере, я так думала. Я прошла в кабинет Роджера... у меня действительно была причина туда зайти, так что здесь все было чисто. И вот когда я увидела кипу

бумаг, лежавших на его письменном столе, у меня
мелькнула мысль: «А что, если Роджер хранит завещание в одном из ящиков письменного стола?»
Я человек импульсивный — всегда такой была, даже в детстве — и действую под влиянием момента.
Ключи торчали — очень неосторожно с его стороны — в верхнем ящике стола...

— Понятно, — с пониманием произнес я. — И вы
обыскали стол. И что, нашли завещание?

Опять тот же самый звук, и опять я понял, что
мне не хватает такта.

— Как ужасно это звучит... Все было совсем не
так.

— Ну конечно, не так, — поспешно согласился
я. — Вы должны извинить меня за мои манеры.

— Мужчины все такие странные... На месте до-
рогого Роджера я бы сама открыла мне положения
этого завещания. Но мужчины так любят секреты...
Поэтому самозащита допускает использование некоторых уловок.

— И каков же был результат этой вашей уловки?

— Я же вам и говорю: когда я наклонилась к
нижнему ящику, в кабинет вошла Борн. Это было
так неловко... Естественно, что я закрыла ящик,
выпрямилась и указала ей на пыль на поверхности
стола. Но мне не понравилось, как она на меня посмотрела — с виду все было вполне респектабельно,
но в глазах у нее было очень мерзкое выражение.
Как будто она меня презирает, если вы понимаете. Мне никогда не нравилась эта девица. Нет, она
хороший работник, не забывает говорить «мадам»
и не возражает против ношения передников и на-
колок — поверьте мне, многие из них категорически отказываются от этого в наши дни, — и если
ей приходится открывать дверь вместо Паркера, то

она совершенно правильно произносит «нет дома». Да и когда она прислуживает за столом, то не издает булькающих звуков, как делают в наше время большинство буфетчиц... подождите, так о чем я говорила?

— Вы говорили о том, что, несмотря на ряд достойных качеств, вы никогда не любили Борн.

— Вот именно. Она... какая-то странная. Чем-то отличается от всех остальных. На мой взгляд — слишком образованна. В наше время стало трудно отличать леди от служанки...

— И что же произошло потом?

— А ничего. Наконец появился Роджер. Мне показалось, что он вернулся с прогулки. Он спросил: «В чем дело?» А я ответила: «Ни в чем. Я ищу последний номер «Панча»[1]». И вот я взяла «Панч» и вышла, а Борн осталась. Я слышала, как она попросила у Роджера разрешения переговорить с ним. Я прошла прямо к себе и легла. Я была очень расстроена. — Последовала пауза. — Вы ведь объясните все это месье Пуаро, правда? Вы же сами видите, что все это дело не стоит и выеденного яйца. Но когда он принял такую жесткую позицию в отношении тех, кто что-то скрывает, я об этом немедленно вспомнила. Борн могла напридумывать себе черт-те что, но ведь вы же сможете все объяснить, правда же?

— И это все? — уточнил я. — Вы мне все рассказали?

— Да-а-а, — сказала миссис Экройд. — Да, конечно, — утвердительно добавила она.

Но я заметил ее мгновенное колебание и понял, что она продолжает от меня что-то скрывать. Думаю,

---

[1] Популярный юмористический журнал.

что это был мой звездный час, когда я задал свой следующий вопрос.

— Миссис Экройд, — спросил я, — это вы оставили открытой витрину?

Я понял, что угадал, увидев, как она на секунду стала пунцовой, чего не смогли скрыть ни пудра, ни румяна.

— Откуда вы знаете? — прошептала она.

— Так это были вы?

— Да... Я... Понимаете, там лежала пара изделий из старинного серебра — очень интересных. Я кое-что читала по этому поводу и видела изображение крохотного предмета, за который на «Кристиз»[1] заплатили колоссальные деньги. Он был очень похож на один из лежавших в витрине. Я подумала, что надо будет взять его с собой в Лондон, когда я туда поеду, и попросить оценить. И если это действительно оказалось бы чем-то ценным, то только подумайте, какой бы очаровательный сюрприз я сделала бы для Роджера...

Я воздержался от комментариев, приняв рассказ миссис Экройд таким, каким она его рассказала; даже не стал интересоваться, зачем ей понадобилось доставать нужную ей вещь украдкой.

— А почему вы оставили крышку открытой? — поинтересовался я. — Забыли?

— Я просто испугалась, — ответила миссис Экройд. — Я услышала шаги на террасе, быстро вышла из гостиной и прошла наверх, как раз за минуту до того, как Паркер открыл вам дверь.

— Должно быть, это была мисс Рассел, — задумчиво произнес я.

Миссис Экройд только что сообщила мне один очень важный факт. Меня совершенно не интере-

---

[1] Всемирно известный английский аукцион.

совало, насколько невинным был ее интерес к серебру Экройда, но мое внимание привлек тот факт, что мисс Рассел вошла в гостиную через французское окно, выходящее на террасу и что в тот вечер она действительно задыхалась, как будто бежала. Где же она была? Я подумал о сарае и обрывке батиста.

— Интересно было бы узнать, крахмалит ли мисс Рассел свои носовые платки! — воскликнул я под влиянием момента.

Миссис Экройд вздрогнула, и это вернуло меня к действительности. Я встал.

— Так вы думаете, что сможете объяснить это месье Пуаро? — Голос женщины был очень взволнованным.

— Ну конечно. Не сомневайтесь в этом.

Наконец, после того как она закончила мучить меня оправданиями своих действий, мне удалось уйти.

Буфетчица как раз находилась в холле, и именно она помогла мне надеть пальто. На этот раз я пригляделся к ней более внимательно, чем обычно. Было видно, что девушка плакала.

— А как так получилось, — спросил я у нее, — что вы сказали нам, что это мистер Экройд послал за вами в пятницу? А теперь я узнаю, что это *вы* попросили у *него* разрешения поговорить?

На секунду девушка опустила глаза под моим взглядом. Потом неуверенно произнесла:

— Я в любом случае собиралась увольняться.

Я ничего не стал говорить. Она открыла передо мной дверь и, когда я проходил мимо нее, неожиданно сказала глухим голосом:

— Простите, сэр, а нет ли каких вестей о капитане Пейтоне?

Я покачал головой и вопросительно взглянул на нее.

— Он должен вернуться, — сказала девушка. — Он должен... он обязательно вернется... И что, неужели никто не знает, где он сейчас находится? — спросила она, подняв на меня глаза, полные мольбы.

— А вы знаете? — ответил я вопросом на вопрос.

Буфетчица отрицательно покачала головой:

— И я ничего не знаю. Знаю только, что те, кто называет его своим другом, должны сказать ему, что ему обязательно надо вернуться.

Я задержался, думая, что девушка скажет еще что-то. Ее следующий вопрос поразил меня.

— А когда, считает полиция, произошло убийство? Незадолго до десяти вечера?

— Да, все так считают, — ответил я. — Между без четверти десять и десятью часами.

— А не раньше, чем без четверти десять?

Я внимательно посмотрел на Борн. Было видно, что она жаждет услышать положительный ответ.

— Это исключено, — ответил я. — Без четверти десять мисс Экройд видела своего дядю живым и здоровым.

Служанка отвернулась от меня, и мне показалось, что из нее выпустили весь воздух.

— Симпатичная девушка, — сказал я себе, садясь в машину. — Очень симпатичная.

Кэролайн находилась дома. У нее опять был Пуаро, и моя сестрица этим очень гордилась.

— Я помогаю ему раскрыть преступление, — пояснила она.

Я почувствовал волнение. С Кэролайн и так очень непросто, а что будет, когда в ней проснется инстинкт частного сыщика?

— Ты что, ходишь по округе и пытаешься найти таинственную собеседницу Ральфа Пейтона? — поинтересовался я.

— Этим я могла бы заняться и по собственной воле, — ответила моя сестрица. — Нет, месье Пуаро хочет, чтобы я выяснила для него одну секретную вещь.

— И что же это такое? — спросил я.

— Он хочет, чтобы я узнала, какого цвета были ботинки у Ральфа Пейтона — черные или коричневые, — сказала Кэролайн с невероятно важным видом.

Я уставился на нее. Теперь-то я понимаю, что оказался полным идиотом во всем, что касалось этих ботинок. Мне так и не удалось понять, что за всем этим стоит.

— На нем были коричневые туфли, — ответил я. — Я сам их видел.

— Джеймс, речь идет не о туфлях, а о ботинках. Месье Пуаро хочет знать, какого цвета были ботинки, которые были у Ральфа в гостинице, — черные или коричневые. От этого зависит очень многое.

Можете, если хотите, назвать меня тупым, но тогда я ничего не понял.

— И как же ты собираешься это выяснить? — задал я вопрос.

Кэролайн сказала, что большой проблемы с этим не будет. Лучшей подругой нашей Энни была горничная мисс Ганнет, Клара. А Клара гуляет с чистильщиком обуви из «Трех кабанов». Так что все оказалось до смешного просто. С помощью мисс Ганнет, которая была очень мила и разрешила Кларе не приходить на работу, вопрос был решен практически мгновенно.

Мы как раз садились за ланч, когда Кэролайн сказала с притворным безразличием:

— Эти ботинки Ральфа Пейтона...

— Ну и что с ними?

— Месье Пуаро думал, что они коричневые, но он ошибся — они черные.

И Кэролайн несколько раз кивнула. По-видимому, она решила, что выиграла у детектива пару очков.

Я ничего не ответил — никак не мог понять, какое отношение цвет ботинок Ральфа Пейтона имеет к раскрытию преступления.

Глава 15
ДЖОФФРИ РЕЙМОНД

В тот день мне удалось получить еще одно подтверждение правильности выбранной Пуаро тактики. Ведь его вчерашнее выступление было тонким ходом, основанным на глубоком знании человеческой натуры. Комбинация страха и вины заставила миссис Экройд сказать правду. Она среагировала первая.

Во второй половине дня, когда я вернулся со своих визитов, Кэролайн сообщила мне, что от нас только что ушел Джоффри Реймонд.

— Он что, хотел увидеться со мною? — спросил я, вешая свое пальто в холле.

Кэролайн крутилась где-то под моим локтем.

— Он хотел увидеть месье Пуаро, — объяснила она. — Он зашел к нам сразу же после «Ларчиз». Месье Пуаро на месте не оказалось, и он решил, что тот может быть у нас или что ты знаешь, где он может быть.

— Не имею ни малейшего представления.

— Я попыталась его задержать, — объяснила Кэролайн — но он сказал, что вернется в «Ларчиз» где-то через полчаса, и пошел в деревню. Очень жаль, потому что месье Пуаро появился буквально через минуту после того, как он ушел.

— Появился здесь? У нас?

— Нет, у себя дома.

— А ты откуда знаешь?

— Увидела через боковое окно, — коротко ответила Кэролайн.

На мой взгляд, тема была исчерпана, но сестра думала иначе.

— А ты что, не зайдешь?

— Не зайду куда?

— Ну конечно, в «Ларчиз».

— Моя дорогая Кэролайн, — произнес я, — а зачем?

— Мистер Реймонд несколько раз подчеркнул, что хочет встретиться именно с ним, — заметила Кэролайн. — Ты бы тоже мог узнать, в чем там дело.

Подняв брови, я холодно заметил:

— Никогда не страдал от любопытства. Я совершенно спокойно могу существовать без того, чтобы знать, что думают или делают мои соседи.

— Прекрати нести ерунду, Джеймс, — сказала моя сестрица. — Ты хочешь знать это так же, как и я. Просто не хочешь признаться. Всегда был притворой.

— Это уж слишком, Кэролайн, — сказал я и скрылся в операционной.

Через десять минут раздался стук в дверь, и на пороге появилась моя сестрица. В руках она держала нечто напоминавшее горшочек с маслом.

— Послушай, Джеймс, ты не мог бы отнести этот горшочек с конфитюром из мушмулы месье Пуаро? Я ему обещала. Представляешь, он никогда не ел домашнего конфитюра из мушмулы.

— А почему нельзя послать Энни? — холодно поинтересовался я.

— Она занята штопкой, и я не могу ее отпустить.

Мы с сестрой посмотрели друг на друга.

— Очень хорошо, — произнес я, вставая. — Только давай так — я отнесу этот чертов горшок и оставлю его на крыльце, договорились?

Моя сестрица воздела свои брови кверху.

— Ну естественно, — сказала она. — А разве я прошу о чем-то большем?

Кэролайн опять победила.

— Если же ты случайно *увидишь* месье Пуаро, — заметила она, когда я уже открывал входную дверь, — то можешь сказать ему про ботинки.

Это прозвучало для меня как контрольный выстрел. Я отчаянно пытался понять, в чем заключается тайна ботинок. Когда дверь мне открыла старая леди в бретонской шляпе, то я совершенно автоматически спросил о месье Пуаро.

Детектив вскочил мне навстречу, весь лучась от удовольствия.

— Присаживайтесь, мой добрый друг, — предложил он. — Большое кресло? Маленький стул? В комнате не слишком жарко? Нет?

Атмосфера в комнате показалась мне удушающей, но я ничего по этому поводу не сказал. Окна были плотно закрыты, а в камине горел большой огонь.

— Англичане маниакально любят свежий воздух, — заявил Пуаро. — Но воздух хорош на улице, там, откуда он родом. Зачем впускать его в дом? Однако не будем ударяться в банальности. У вас что-то есть для меня, не так ли?

— Две вещи, — подтвердил я. — Первая — вот. Это от моей сестры. — И я протянул ему горшочек с конфитюром из мушмулы.

— Как это мило со стороны мадемуазель Кэролайн! Она не забыла своего обещания. А что второе?

— Кое-какая информация.

И тут я рассказал ему о своей беседе с миссис Экройд. Пуаро слушал меня внимательно, но не слишком взволнованно.

— Ну что же, это расчищает нам площадку и в некоторой степени подтверждает показания домоправительницы. Вы же помните, как она сказала, что крышка витрины была открыта, и, проходя, она ее прикрыла.

— А как же ее заявление, что она зашла в гостиную, чтобы проверить цветы?

— Но ведь мы никогда не относились к нему всерьез, не так ли, мой друг? Это была всего лишь отговорка, на скорую руку придуманная женщиной, которая как-то должна была объяснить свое присутствие в комнате. Кстати, почти уверен, что вам бы в голову не пришло ее об этом спрашивать. Раньше мне казалось, что ее волнение было как-то связано с витриной, но сейчас я понимаю, что нам надо поискать ему другое объяснение.

— Да, — согласился я. — С кем же она встречалась и зачем?

— А вы думаете, что она выходила, чтобы с кем-то встретиться?

— Да.

Пуаро кивнул.

— Я тоже так думаю, — задумчиво добавил он.

В комнате повисла тишина.

— Кстати, — произнес я, — моя сестра просила вам передать, что ботинки Ральфа Пейтона были черного, а не коричневого цвета.

Произнося эти слова, я очень внимательно наблюдал за ним, и мне показалось, что он на мгновение расстроился, однако это почти мгновенно исчезло.

— Она уверена в том, что они не коричневые?

— Абсолютно.

— Ах вот как! — с сожалением заметил Пуаро. — Какая жалость.

Мне показалось, что детектив совершенно раздавлен этой новостью, однако он не стал ничего объяснять и перешел к другой теме:

— В пятницу утром к вам на консультацию приходила домоправительница, мисс Рассел. Будет ли очень нескромно с моей стороны, если я спрошу вас, в чем причина ее прихода? Естественно, что меня не очень интересуют медицинские подробности.

— Совсем нет, — ответил я. — Когда мы закончили обсуждать ее болезнь, то несколько минут говорили о ядах и о том, насколько легко или сложно их обнаружить. А еще о наркотиках и наркоманах.

— Кокаин вы упоминали отдельно? — спросил Пуаро.

— А откуда вы знаете? — сказал я, удивившись.

Вместо ответа маленький человечек прошел туда, где были разложены сегодняшние газеты. Он принес мне номер «Ежедневного бюджета», датированный пятницей, шестнадцатым сентября, и показал статью, связанную с контрабандой кокаина. Статья, с претензией на сенсационность, была написана человеком, падким на внешние эффекты.

— Именно из-за этого она и заговорила о кокаине, мой друг, — пояснил Пуаро.

Я был готов задать ему еще несколько вопросов, так как не совсем его понял, но в этот момент дверь открылась, и объявили о приходе Джоффри Реймонда.

Как всегда, он вошел свежий и жизнерадостный.

— Как ваши дела, доктор? Месье Пуаро, я у вас уже второй раз сегодня — заходил утром. Мне очень надо с вами переговорить.

— Тогда, думаю, мне лучше уйти, — неловко предложил я.

— Что касается меня, то сидите, доктор. Все дело в том... — Повинуясь жесту Пуаро, Реймонд опустился в кресло. — Все дело в том, что мне надо сделать признание.

— *En verité?*[1] — спросил Пуаро с вежливым интересом.

— В действительности это не имеет к делу никакого отношения, но моя совесть мучает меня с прошлого дня. Вы обвинили нас в том, что мы все что-то скрываем, месье Пуаро. Так вот, я признаю свою вину. Мне действительно есть что скрывать.

— И что же это, месье Реймонд?

— Как я сказал, это не имеет никакой связи с преступлением. У меня был очень серьезный долг, и это завещание оказалось как нельзя более кстати. Пять сотен фунтов позволят мне опять крепко стать на ноги, а кое-что еще и останется.

Он улыбнулся нам двоим со своей заразительной откровенностью, которая делала его таким приятным молодым человеком.

— Вы же сами знаете, как это бывает. Эти всех и вся подозревающие полицейские — не хотел, чтобы они знали, — подумал, что для них это будет очень подозрительно. Но я вел себя как дурак, ведь мы с Блантом с без четверти десять неотрывно находились в бильярдной, так что у меня железное алиби и мне нечего бояться. Поэтому, когда вы выступили по поводу сокрытия информации, меня стала мучить совесть, и я решил снять этот груз с души.

Не переставая улыбаться, Реймонд встал.

— Вы очень мудрый молодой человек, — произнес Пуаро, с одобрением кивнув ему. — Понимаете, когда я знаю, что от меня что-то скрывают, я на-

---

[1] Действительно? (*фр.*)

чинаю подозревать очень нехорошие вещи, очень нехорошие... Вы поступили правильно.

— Рад, что с меня сняты все подозрения, — рассмеялся Реймонд. — А теперь я пойду.

— Вот так так, — заметил я, когда дверь за ним закрылась.

— Да, — согласился Пуаро. — Конечно, это полная ерунда, но если б он в тот вечер не был в бильярдной, то... кто знает? В конце концов, многие преступления совершались из-за сумм, гораздо меньших, чем пятьсот фунтов. Все зависит от того, на какой сумме тот или иной человек может сломаться. Все это вопрос относительности, не так ли? Вы не заметили, друг мой, что смерть мистера Экройда была выгодна многим жителям этого дома? Миссис Экройд, мисс Флора, молодой мистер Реймонд, домоправительница мисс Рассел... Только майор Блант ничего не получил.

Он произнес фамилию майора таким странным тоном, что я удивленно посмотрел на него.

— Я вас не понимаю, — признался я.

— Двое из тех, кого я вчера обвинял, рассказали мне правду.

— Вы думаете, что майору Бланту тоже есть что скрывать?

— Знаете, мне кажется, есть такая поговорка, — голос Пуаро звучал совершенно безмятежно, — что англичанин в жизни скрывает только одну вещь — свою любовь... И должен заметить, что майор Блант совсем не умеет что-либо скрывать.

— Иногда, — заметил я, — мне кажется, что мы слишком рано сделали выводы.

— Что вы имеете в виду?

— Мы решили, что шантажист миссис Феррарс должен обязательно быть убийцей мистера Экройда. Может быть, мы ошиблись?

Пуаро энергично закивал.

— Очень хорошо. Просто отлично. Я все ждал, придет ли вам в голову эта мысль. Такое вполне возможно. Но мы не должны забывать об одном — письмо же исчезло. Хотя, как вы справедливо заметили, это совсем не означает того, что его забрал именно убийца. Когда вы обнаружили тело, его вполне мог незаметно забрать Паркер.

— Паркер?

— Да, он. Я все время возвращаюсь к Паркеру, не как к убийце — убийства-то он как раз и не совершал, — но кто больше его подходит на роль таинственного негодяя, который терроризировал миссис Феррарс? Он вполне мог услышать подробности смерти мистера Феррарса от одного из слуг в «Кингс-Паддок». В любом случае получить такую информацию ему было легче, чем случайному гостю — например, майору Бланту.

— Паркер вполне мог взять письмо, — согласился я, — я заметил пропажу гораздо позже.

— А насколько позже? После того, как Блант с Реймондом вышли из кабинета, или до того?

— Не могу вспомнить, — медленно произнес я. — Кажется, до того... хотя нет — после. Да, я почти уверен, что это было после.

— Что ж, это увеличивает количество подозреваемых до трех человек, — задумчиво сказал Пуаро. — Но Паркер — это подозреваемый номер один. Я думаю провести с ним один маленький эксперимент. Как вы насчет того, чтобы прогуляться со мной до «Фернли»?

Я согласился, и мы немедленно отправились в поместье. Пуаро пожелал видеть мисс Флору, и скоро она к нам спустилась.

— Мадемуазель Флора, — начал сыщик, — должен поведать вам один маленький секрет. Я все еще не убежден в невиновности Паркера, поэтому с вашей помощью хотел бы провести маленький эксперимент. Я хочу восстановить некоторые его действия в тот вечер. Но нам надо придумать, что мы скажем ему... Ах да! Есть. Я хочу убедиться, можно ли было услышать разговор, происходивший в маленьком холле, стоя на улице, на террасе. Прошу вас, вызовите Паркера.

Я нажал звонок, и вскоре появился дворецкий, как всегда, вежливый и обходительный.

— Вызывали, сэр?

— Да, мой добрый Паркер. Я придумал небольшой эксперимент. Я подумал о майоре Бланте, который стоял на террасе перед окном кабинета, и хочу понять, мог ли он услышать оттуда, что вы с мисс Флорой говорили в тот вечер в холле. Я хотел бы еще раз проиграть эту небольшую сценку. Может быть, вы сходите за подносом, или что вы там несли?

Паркер исчез, а мы тем временем перешли в маленький холл перед кабинетом. Наконец мы услышали позвякивание в большом холле, и появился Паркер с подносом в руках, на котором стояли сифон, графин с виски и два стакана.

— Минуточку! — воскликнул Пуаро, в большом волнении поднимая руку. — Все должно происходить так, как это происходило в тот вечер. Точно так. Это у меня такой маленький метод.

— Иностранный способ, сэр, — заметил Паркер. — Называется «реконструкция преступления», правильно?

Дворецкий невозмутимо стоял в холле, вежливо ожидая дальнейших указаний Пуаро.

— Ах вот как! Он у нас все знает, этот добрый Паркер, — опять воскликнул Пуаро. — Он об этом читал... А теперь, умоляю вас, давайте сделаем все как можно точнее. Вы вошли из большого холла — так? Мадемуазель была... где?

— Вот здесь. — Флора заняла свое место прямо перед дверью в кабинет.

— Совершенно точно, сэр, — подтвердил Паркер.

— Я только что закрыла дверь, — продолжила Флора.

— Именно, мисс, — согласился Паркер. — И ваша рука все еще была на дверной ручке, как и сейчас.

— Тогда начнем, — произнес Пуаро. — Разыграйте для меня эту маленькую комедию.

Флора осталась стоять с рукой на дверной ручке, а Паркер появился из большого холла, держа в руках поднос. На пороге он остановился. Флора заговорила:

— А! Паркер... Мистер Экройд больше не хочет, чтобы его сегодня ночью беспокоили... Правильно? — спросила девушка негромким голосом.

— Насколько я помню, да, мисс Флора, — подтвердил Паркер. — Но мне кажется, что вместо слова «ночь» вы сказали «вечер». — После этого он заговорил громким, театральным голосом: — Очень хорошо, мисс. Запирать в обычное время?

— Да, пожалуйста.

Паркер вышел через дверь. Флора прошла вслед за ним и стала подниматься по главной лестнице.

— Достаточно? — спросила она через плечо.

— Великолепно, — объявил маленький человечек, потирая руки. — А кстати, Паркер, вы уверены, что в тот вечер на подносе было два стакана? Для кого был второй?

— Я всегда приношу два стакана, сэр, — пояснил дворецкий. — Что-нибудь еще?

— Ничего, спасибо.

Паркер величественно удалился.

Пуаро, нахмурившись, остался стоять посреди холла. Флора спустилась и присоединилась к нам.

— Ну как прошел ваш эксперимент — успешно? — спросила она. — Честно сказать, я не все поняла...

Пуаро в восхищении улыбнулся ей.

— А вам и необязательно понимать, — сказал он. — Но скажите, на подносе Паркера в ту ночь действительно стояли два стакана?

Флора на минуту нахмурила брови.

— Точно не помню, — ответила она. — Кажется, да... Именно это вы и хотели узнать?

Сыщик погладил ее по руке.

— Я бы сказал так, — заметил он, — мне всегда интересно знать, скажут ли люди правду.

— А Паркер сказал правду?

— Склонен думать, что да, — задумчиво сказал Пуаро.

Через несколько минут мы уже направлялись в сторону деревни.

— А в чем был смысл этого вопроса про стаканы? — спросил я с любопытством.

Детектив пожал плечами.

— Надо было чем-то закончить беседу. На мой взгляд, этот вопрос был не хуже других, — заметил он.

Я уставился на него.

— В любом случае, мой друг, — серьезно произнес Пуаро, — я теперь знаю кое-что из того, что хотел узнать. И давайте на этом закончим.

Глава 16
ВЕЧЕР ЗА МАДЖОНГОМ

В тот вечер у нас собралась небольшая компания для партии в маджонг[1]. Подобные бесхитростные развлечения очень популярны в Кингс-Эббот. Гости обычно появляются в галошах и плащах сразу после обеда. Им предлагается кофе, а позже — пирожные, сэндвичи и чай.

В тот самый вечер нашими гостями были мисс Ганнет и полковник Картер, который живет рядом с церковью. В такие вечера обычно обсуждается множество сплетен, что очень часто мешает самой игре. Раньше мы играли в бридж — это был худший из возможных вариантов бриджа, во время которого все говорили без умолку. Маджонг показался нам игрой гораздо более мирной, при которой совершенно отпадает необходимость выяснять, какого черта твой партнер пошел не с той карты, и хотя мы продолжаем открыто критиковать друг друга, из нашей игры полностью исчезли сарказм и враждебность.

— Холодный сегодня вечерок, а, Шеппард? — произнес полковник Картер, стоя спиной к камину. Кэролайн отвела мисс Ганнет в свою комнату, где помогала ей освободиться от всех ее одежек. —

---

[1] Китайское домино, в которое играют вчетвером, при этом каждый играет за себя.

Напоминает мне горные перевалы в Афганистане.

— Неужели? — вежливо сказал я.

— Как все загадочно с беднягой Экройдом, — продолжил полковник, беря чашку кофе. — Уверен, за этим много чего скрывается. Между нами говоря, Шеппард, я даже слышал про какой-то шантаж!

И полковник посмотрел на меня с видом светского человека, беседующего с другим светским человеком.

— Без женщины тут точно не обошлось, — продолжил он. — Можете быть уверены, в этом точно замешана женщина.

Через минуту к нам присоединились Кэролайн и мисс Ганнет. Последняя угощалась кофе, пока Кэролайн доставала коробку с костяшками домино и вываливала их на стол.

— Перемоем косточки, — шутливо произнес полковник. — Да, именно так мы обычно говорили в «Шанхайском клубе» — перемоем косточки.

Лично мы с Кэролайн уверены, что полковник Картер никогда в жизни не был в «Шанхайском клубе»; более того, он никогда не был дальше Восточной Индии, где занимался банками с консервированной говядиной, сливами и яблочным джемом во время Великой войны[1].

Но полковник хочет казаться бравым воякой, а мы в Кингс-Эббот никогда не запрещаем людям получать удовольствие, претворяя в жизнь свои болезненные фантазии.

— Может быть, начнем? — предложила Кэролайн.

---

[1] Имеется в виду Первая мировая война.

Мы уселись за стол. В течение первых пяти минут в комнате стояла полная тишина; дело в том, что между всеми игроками у нас в деревне существует тайное соревнование — кто первым выстроит стену[1].

— Начинай, Джеймс, — сказала наконец Кэролайн. — У тебя Восточный ветер[2].

Я сбросил костяшку. Первая пара раундов прошла в молчании, прерываемая только монотонными замечаниями игроков: «три бамбука», «две точки»[3], «панг»[4]... Последний термин часто сопровождался корректировкой со стороны мисс Ганнет — «не «панг», что объяснялось только женской привычкой поспешно хватать не принадлежащие ей кости.

— Сегодня я видела Флору Экройд, — сказала мисс Ганнет. — «Панг»... нет, не «панг». Я ошиблась.

— «Четыре точки», — объявила Кэролайн. — А где вы с нею виделись?

— Она меня *не видела*, — пояснила мисс Ганнет с той невероятной значимостью, которую можно встретить только в маленьких деревушках.

— А, — заинтересованно произнесла моя сестра. — «Чоу»[5].

— Мне кажется, — сказала мисс Ганнет, на минуту отрываясь от основной темы, — что в наше время правильно говорить «чи», а не «чоу».

---

[1] Перед началом игры в маджонг каждый из игроков строит перед собой стену высотой в две кости.

[2] Термин, означающий, что у игрока на руках одна из «благородных» костей. Всего их четыре: Восточный, Западный, Южный и Северный ветры.

[3] «Точки», «бамбуки», «символы» — термины, означающие различные масти в маджонге.

[4] Термин, означающий комбинацию из трех одинаковых костей.

[5] Термин, означающий комбинацию из трех последовательных по номиналу костей.

— Глупости, — возразила Кэролайн. — Я всегда говорю «чоу».

— В «Шанхайском клубе», — вмешался полковник Картер, — все говорят «чоу».

Посрамленная мисс Ганнет замолчала.

— Так что вы там говорили о Флоре Экройд? — спросила Кэролайн после пары минут безмолвной игры. — Она была не одна?

— Вот именно, — ответила мисс Ганнет.

Взгляды двух леди встретились, и между ними, казалось, произошел беззвучный обмен информацией.

— Вот тебе и раз, — в голосе Кэролайн прозвучал неподдельный интерес. — Неужели? Впрочем, меня это ничуть не удивляет.

— Мы ждем, когда вы сбросите кость, мисс Кэролайн, — заметил полковник. Иногда он принимает позу неприступного мужчины, которого интересует только игра, а вовсе не сплетни. Правда, это никого не обманывает.

— Как по мне, — сказала мисс Ганнет (дорогая, вы сбросили «бамбук»? Ах нет, теперь я вижу — это была «точка»). — Так вот, как по мне, так Флоре в последнее время невероятно везет. Просто невероятно.

— Это почему же, мисс Ганнет? — спросил полковник. — Я беру этого Зеленого дракона[1] и объявляю «панг». Почему вы считаете, что мисс Флоре везет? Я знаю ее как очаровательную девушку и все такое...

— Может быть, я мало знаю о преступлениях, — сказала мисс Ганнет с видом человека, ко-

---

[1] Одна из старших костей — всего их в маджонге три: Красный, Зеленый и Белый драконы.

204 торый знает все и даже чуть больше, — но могу сказать вам только одно: первым всегда задается вопрос: «Кто последний видел убитого живым?» Это и есть главный подозреваемый. Флора Экройд последней видела своего дядю живым... И для нее это могло обернуться неприятностями — большими неприятностями. По моему мнению — и я его не собираюсь скрывать, — Ральф Пейтон прячется только из-за нее, чтобы отвести от нее подозрение.

— Но послушайте, — слабо запротестовал я, — неужели вы считаете, что такая молодая девушка, как Флора, способна хладнокровно заколоть своего дядю?

— Я не знаю, — ответила мисс Ганнет. — Но я только что читала библиотечную книжку о «дне» Парижа, и там говорилось, что самые страшные женщины-преступницы — это молодые девушки с лицами ангелов.

— Так ведь то во Франции, — немедленно возразила Кэролайн.

— Вот именно, — поддержал ее полковник. — А теперь я расскажу вам любопытнейшую историю, которую в свое время рассказывали на всех базарах Индии...

История полковника оказалась невероятно длинной и на удивление скучной. То, что случилось в Индии много лет назад, никак не может сравниться с тем, что произошло в Кингс-Эббот всего пару дней назад.

Конец этой истории полковника положила Кэролайн, очень вовремя объявив «маджонг»[1]. После

---

[1] Термин, означающий, что у игрока на руках выигрышная комбинация костей.

нескольких неприятных моментов, связанных с тем, что мне постоянно приходится поправлять несколько небрежные арифметические подсчеты Кэролайн, мы начали новый раунд[1].

— Восточный закончен, — сказала Кэролайн. — У меня есть свое мнение по поводу Ральфа Пейтона. «Три символа». Но пока что я попридержу его при себе.

— Неужели, милочка? — откликнулась мисс Ганнет. — «Чоу», то есть я хотела сказать, «панг».

— Да, — твердо ответила Кэролайн.

— А что там с этими ботинками? — поинтересовалась мисс Ганнет. — То есть с тем, что они оказались черными?

— Да всё в порядке, — сказала моя сестрица.

— А в чем там вообще был смысл, как вы думаете? — спросила ее собеседница.

Кэролайн сжала губы и покачала головой, всем своим видом показывая, что полностью в курсе происходящего.

— «Панг», — объявила наша гостья. — Ой нет — не «панг». Я думаю, что коли доктор так тесно общается с Пуаро, то он знает все секреты?

— Совсем нет, — сказал я.

— Джеймс у нас скромник, — заметила Кэролайн. — А-а-а, скрытый «конг»[2].

Полковник присвистнул. Сплетни были на минуту забыты.

— И на вашем собственном ветре, — сказал Картер. — *А еще* у вас два «панга» на драконах. Нам надо быть осторожнее — мисс Кэролайн нацелилась сорвать куш.

---

[1] В игре играется два раунда — восточный и южный.
[2] Комбинация из четырех одинаковых костей.

206 Какое-то время мы играли без существенных комментариев.

— А вот этот месье Пуаро, — вновь начал полковник Картер, — он что, действительно великий детектив?

— Величайший из когда-либо живших на Земле, — торжественно произнесла Кэролайн. — Здесь ему пришлось поселиться инкогнито, чтобы избежать ненужной огласки.

— «Чоу», — объявила мисс Ганнет. — Для нашей деревушки это просто благо. Кстати, Клара, моя горничная, — давняя подружка Элси, горничной из «Фернли». Так что, как вы думаете, та ей рассказала? В доме пропала крупная сумма денег, и, по ее мнению — так говорит Элси, — это как-то связано с буфетчицей. Она увольняется в конце месяца и по ночам много плачет. По мне, так эта девица почти наверняка связана с *бандой*. Она всегда была странной — ни с кем в округе не дружит. Гуляет всегда сама по себе в свои выходные дни, а это очень неестественно, доложу я вам, и очень подозрительно. Однажды я пригласила ее на вечер наших «Подружек», а она отказалась. Потом я стала задавать ей всякие вопросы о ее доме и семье — знаете, обычные вещи, — так должна вам сказать, что ее манеры были просто возмутительны. Внешне все было очень уважительно, но она заставила меня замолчать совершенно возмутительным образом.

Наша гостья остановилась, чтобы перевести дыхание, и в этот момент полковник, которого совершенно не волновали вопросы каких-то там служанок, заметил, что в «Шанхайском клубе» обязательно практиковались укороченные игры.

Мы сыграли раунд укороченных игр.

— Эта мисс Рассел, — заметила Кэролайн. — Она появилась здесь в пятницу, притворившись, что ей нужна консультация Джеймса. Я считаю, что она хотела выяснить, где у нас хранятся яды. «Пять символов».

— «Чоу», — сказала мисс Ганнет. — Что за странная идея! Хотела бы я знать, правы вы или нет...

— Кстати, о ядах, — вступил в разговор полковник. — Э-э-э, что вы сказали? Я не сбросил? Вот! «Восемь бамбуков».

— «Маджонг»! — объявила мисс Ганнет.

Это сильно расстроило Кэролайн.

— Всего один Красный дракон, — сказала она с сожалением, — и у меня была бы комбинация из трех двойных.

— У меня все время было два Красных Дракона, — заметил я.

— Как это на тебя похоже, Джеймс, — возмущенно заявила моя сестрица. — Ты ничего не понимаешь в самой концепции этой игры.

На мой взгляд, я-то как раз сыграл довольно тонко. Если б у Кэролайн оказался «маджонг»[1], мне пришлось бы заплатить ей колоссальные деньги. «Маджонг» же мисс Ганнет был самым слабым из возможных, о чем Кэролайн не преминула ей сообщить.

Восточный раунд опять закончился, и мы начали новую игру в полном молчании.

— Я хотела сказать вам вот что, — заговорила Кэролайн.

— Что именно? — ободряюще подхватила наша гостья. — «Чоу»!

---

[1] Подсчет очков в игре ведется в зависимости от той выигрышной комбинации, которая оказалась на руках игрока, объявившего «маджонг».

— Я имею в виду свои мысли о Ральфе Пейтоне. Объявлять «чоу» в самом начале игры — это признак слабости, — резко заметила Кэролайн. — Надо ждать сильной комбинации.

— Я знаю, — ответила мисс Ганнет. — Так вы говорили о Ральфе Пейтоне, не так ли?

— Да. Так вот, я почти уверена, что знаю, где он скрывается.

Мы все замерли и посмотрели на нее.

— Это очень интересно, мисс Кэролайн, — сказал полковник Картер. — И вы сами до этого додумались, а?

— Ну не совсем так... Я вам все расскажу. Вы помните большую карту графства, которая висит у нас в холле?

Мы все ответили утвердительно.

— Когда вчера месье Пуаро уходил от нас, он остановился около нее и сказал что-то — точно даже не помню, что именно. Что-то насчет того, что Кранчестер — единственный большой город в нашей округе... что соответствует действительности. И вот, когда он ушел, меня как по голове ударило.

— Что ударило?

— То, что он хотел сказать. Конечно, Ральф в Кранчестере.

Именно в этот момент я повалил планку, на которой стояли мои кости. Сестра мгновенно обвинила меня в неуклюжести, но не стала на этом настаивать. Она была слишком занята своей догадкой.

— В Кранчестере, мисс Кэролайн? — переспросил полковник. — Этого просто не может быть. Слишком близко.

— И тем не менее это так, — в голосе моей сестрицы слышались триумфальные ноты. — Ведь сейчас уже совершенно точно известно, что Ральф не уехал на поезде. Он просто ушел в Кранчестер пешком. И я уверена, что он все еще там, потому что никому в голову не придет, что он может быть так близко.

Я сразу же отметил несколько недостатков этой теории, но если Кэролайн берет себе что-то в голову, то вышибить это из нее уже невозможно.

— И вы думаете, что месье Пуаро думает так же? — задумалась мисс Ганнет. — Странное совпадение, но сегодня, когда я прогуливалась по дороге на Кранчестер, детектив проехал в машине мимо меня, и ехал он как раз из Кранчестера.

Мы посмотрели друг на друга.

— Боже мой! — неожиданно воскликнула мисс Ганнет. — Все это время у меня был «маджонг», а я и не видела...

Внимание Кэролайн опять отвлеклось от ее творческих упражнений. Она заметила нашей гостье, что объявлять «маджонг» на комбинации из смешанных мастей и слишком многих «чоу» вообще не имеет смысла. Мисс Ганнет спокойно выслушала ее и забрала свой выигрыш.

— Да, дорогая, я вас понимаю, — согласилась она. — Но все это зависит от того, какая комбинация была у вас в самом начале, не так ли?

— Вы никогда не получите сильных комбинаций, если не будете к ним стремиться, — настаивала Кэролайн.

— Что ж, все мы играем как умеем, правильно? — заметила мисс Ганнет. Она посмотрела на свои фишки. — И пока что я в выигрыше.

Кэролайн, которая была в сильном проигрыше, ничего не сказала.

Восточный раунд опять закончился, и мы начали новую игру. Энни принесла чайные принадлеж-

210 ности. И Кэролайн, и мисс Ганнет были слегка на взводе, как это часто случается во время подобных радостных вечеров.

— Милочка, если бы вы могли играть ч-у-уть побыстрее, — заметила моя сестрица, видя, что мисс Ганнет задумалась над тем, какую кость ей сбросить. — Китайцы кладут кости так быстро, что кажется, что это птички клюют зернышки.

Какое-то время мы играли как китайцы.

— А вы не очень-то много нам рассказали, Шеппард, — добродушно заметил полковник Картер. — Вы настоящий хитрец. Ходите под руку с великим детективом и ни словом не намекнули нам о том, что происходит в действительности...

— Джеймс совершенно невероятный человек, — заметила Кэролайн. — Он просто *не может* заставить себя поделиться с людьми информацией.

И она неодобрительно взглянула на меня.

— Уверяю вас, — сказал я, — что ничего не знаю. Пуаро ничего и ни с кем не обсуждает.

— Умный человек, — заметил полковник, кашлянув. — Не выдает себя. Но все равно эти иностранные детективы — отличные ребята. Уверен, что они знают массу полезных уловок.

— «Панг», — объявила мисс Ганнет с тихим триумфом в голосе, — и «маджонг».

Ситуация накалилась. Именно недовольство мисс Ганнет, которая выиграла третий раз подряд, заставило мою сестру обратиться ко мне, пока мы строили новую стену.

— Ты слишком скучен, Джеймс. Сидишь тут как посторонний человек и ничего не говоришь!

— Но, моя дорогая, — запротестовал я. — Мне действительно нечего сказать — то есть, я хочу сказать, из того, что могло бы вас заинтересовать.

— Глупости, — заявила мисс Ганнет, разбирая кости. — Вы просто *обязаны* знать что-то интересное.

Какое-то время я не отвечал — поскольку был слишком потрясен и ошарашен. Конечно, я читал о таких вещах, как Идеальный Выигрыш[1] — когда «маджонг» выпадает прямо при раздаче, — но и мечтать не мог, что подобное может случиться со мною.

Стараясь ничем себя не выдать, я выложил кости на стол картинками вверх.

— Как говорится в «Шанхайском клубе», — произнес я, «тин-хо» — Идеальный Выигрыш!

Глаза полковника чуть не вылезли у него из орбит.

— Черт меня побери! — воскликнул он. — Совершенно невероятно. Никогда раньше такого не видел!

И вот тогда, находясь под влиянием придирок Кэролайн и в восторге от своего триумфа, я заговорил:

— Ну а если говорить о чем-то интересном, то как насчет обручального кольца с датой и словами «от Р.», выгравированными на его внутренней поверхности?

Я не буду описывать последовавшую за этим сцену. Меня заставили точно рассказать, где было найдено это сокровище, и назвать дату, которая стояла на кольце.

— Тринадцатое марта, — повторила за мной Кэролайн. — Полгода назад. Понятно.

Постепенно, среди массы предположений и предложений, выкристаллизовались три теории:

1. Предложенная полковником Паркером. Ральф втайне от всех женился на Флоре. Очевидное и самое простое решение.

---

[1] В этом случае игрок срывает банк и игра прекращается.

2. Предложенная мисс Ганнет. Роджер Экройд был тайно женат на миссис Феррарс.

3. Предложенная моей сестрой. Роджер Экройд женился на домоправительнице, мисс Рассел.

Последняя, уже супертеория, была предложена моей сестрицей, когда мы уже собирались спать.

— Попомни мое слово, — сказала она неожиданно. — Я не сильно удивлюсь, если услышу, что Флора и Джоффри Реймонд женаты.

— Но тогда на кольце было бы написано «от Д.», а не «от Р.».

— Тут ни в чем нельзя быть уверенным. Некоторые девушки называют своих молодых людей по фамилии. А ты сам слышал, что сегодня мисс Ганнет рассказывала о легкомысленном поведении Флоры.

Честно говоря, я не помнил, чтобы мисс Ганнет говорила что-нибудь подобное, но я всегда уважительно отношусь к способности моей сестры понимать скрытый смысл сказанного.

— А как насчет Гектора Бланта? — намекнул я. — Если уж...

— Глупости, — отрезала Кэролайн. — Я согласна, он ею восхищается, может быть, даже любит. Но будь уверен, девушка никогда не влюбится в мужчину, который годится ей в отцы, когда рядом бродит молодой симпатичный секретарь. Она может даже поощрять майора, просто для того, чтобы скрыть свои истинные отношения. Девушки очень искусны в такого рода играх. Но одну вещь я могу сказать тебе совершенно точно, Джеймс Шеппард: Флору Экройд ни на йоту не интересует Ральф Пейтон и никогда не интересовал. Можешь мне в этом поверить.

Я кротко посмотрел на нее.

На следующее утро мне пришло в голову, что под влиянием эйфории, вызванной «тин-хо», или Идеальным Выигрышем, я был не совсем скромен. Можно, конечно, сказать, что Пуаро никогда не просил меня сохранить находку кольца в тайне. С другой стороны, в «Фернли» он об этом никому не говорил, и, насколько мне было известно, я был единственным человеком, который знал об этой находке. Я ясно чувствовал свою вину. Ведь сейчас эта информация распространялась по Кингс-Эббот со скоростью лесного пожара. В любой момент я ожидал услышать справедливую отповедь Пуаро.

Совместные похороны миссис Феррарс и Роджера Экройда были назначены на одиннадцать часов утра. Это была грустная и впечатляющая церемония. Все жившие в «Фернли» на ней присутствовали.

Когда церемония закончилась, Пуаро, который тоже на ней присутствовал, взял меня под руку и попросил проводить его до «Ларчиз». Детектив выглядел очень грустным, и я испугался, что мои нескромные выступления вчерашним вечером уже достигли его ушей. Но скоро стало ясно, что он размышляет о совсем других делах.

— Вы понимаете, — сказал он, — нам надо действовать. Я предлагаю проверить с вашей

214 помощью одного из свидетелей. Мы допросим его и так напугаем, что он неизбежно расскажет правду.

— И о каком свидетеле вы сейчас говорите? — спросил я, очень удивившись.

— О Паркере! — ответил Пуаро. — Я попросил его прийти ко мне в двенадцать часов. В эти самые минуты он уже должен ждать нас.

— И что же вы думаете? — задал я вопрос, посмотрев на него сбоку.

— Я знаю одно — я не удовлетворен.

— Вы думаете, что он — тот человек, который шантажировал миссис Феррарс?

— Или так, или...

— Что «или»? — спросил я после пары минут ожидания.

— Мой друг, я скажу это вам: надеюсь, что это был он.

Серьезность, с которой он это произнес, и что-то трудноопределимое, что появилось в его манерах, заставили меня замолчать.

Когда мы появились в «Ларчиз», нам сообщили, что Паркер уже ждет нас. Увидев нас, дворецкий почтительно встал.

— Доброе утро, Паркер, — произнес Пуаро приятным голосом. — Умоляю вас, подождите еще мгновение.

Он снял свое пальто и перчатки.

— Позвольте мне, сэр, — сказал Паркер и бросился вперед, чтобы ему помочь. Он аккуратно сложил одежду на стуле, стоявшем прямо у двери. Пуаро с одобрением наблюдал за ним.

— Благодарю вас, мой добрый Паркер, — произнес он. — Прошу вас, присаживайтесь. То, о чем я буду говорить, может занять некоторое время.

Дворецкий уселся с виновато опущенной головой.

— Как вы думаете, для чего я попросил вас прийти сюда этим утром, а?

Паркер закашлялся.

— Как я понимаю, сэр, вы хотите задать мне несколько вопросов о моем ушедшем хозяине, вроде как тайно.

— *Précisément.* — Пуаро расплылся в улыбке. — Вы когда-нибудь пробовали заниматься шантажом?

— Сэр!

Дворецкий вскочил на ноги.

— Не надо волноваться, — благодушно сказал Пуаро, — и не пытайтесь прикидываться честным и незаслуженно обиженным человеком. Ведь вы же всё знаете о шантаже, не так ли?

— Сэр... я никогда... меня так...

— Никогда не оскорбляли, — закончил за него Пуаро. — Тогда почему, мой великолепный Паркер, вы так разволновались в тот вечер, когда случайно услышали слово «шантаж», которое донеслось из кабинета мистера Экройда?

— Я... я никогда...

— У кого вы служили до мистера Экройда? — неожиданно огорошил его бельгиец.

— До мистера Экройда?

— Вот именно. Прежде чем вы попали к мистеру Экройду?

— Некто майор Эллерби, сэр...

— Ах, майор Эллерби, — повторил за ним сыщик. — Он был наркоманом, не так ли? Вы путешествовали с ним по миру. Когда вы были на Бермудах, там произошла неприятная история — убили человека. Майор Эллерби был в этом замешан. Дело замяли, но вы об этом знали... Сколько майор

Эллерби заплатил вам, чтобы вы держали рот на замке?

Паркер смотрел на него с открытым ртом. Он был совершенно уничтожен, его щеки мелко дрожали.

— Как видите, я навел кое-какие справки, — голос Пуаро совсем не изменился. — Все было, как я сказал. Тогда вы получили приличную сумму, а потом майор Эллерби платил вам до самой своей смерти. А теперь я хочу услышать о ваших последних похождениях.

Паркер продолжал молча таращиться на него.

— Глупо что-либо отрицать. Эркюль Пуаро все знает. Все, что я рассказал о майоре Эллерби, — правда, правильно?

Как будто против своей воли, дворецкий кивнул. Его лицо было пепельного цвета.

— Но я и волоса на голове мистера Экройда не тронул, — простонал он. — Богом клянусь, сэр. Я все время боялся, что это выйдет наружу. Уверяю вас, я не... я не убивал его.

Теперь он почти кричал.

— Приходится вам поверить, мой друг, — сказал Пуаро. — У вас для этого нет ни выдержки, ни смелости. Но я должен услышать правду.

— Я все расскажу, сэр. Все, что вы захотите узнать. Той ночью я действительно пытался подслушивать. Пара слов из того, что я услышал, разбудила мое любопытство. И то, как мистер Экройд запретил беспокоить себя в ту ночь, и то, как он заперся вместе с доктором у себя в кабинете... Клянусь, все, что я рассказал полиции, — абсолютная правда. Я услышал слово «шантаж», сэр, и...

Наступила пауза.

— Вы подумали, что сможете чем-то здесь поживиться, — мягко предположил Пуаро.

— Ну... да, сэр, подумал... Я решил, что если мистера Экройда шантажируют, то почему бы и мне не отщипнуть кусочек?

На лице Пуаро появилось очень странное выражение. Он наклонился к дворецкому:

— А вам когда-нибудь до того дня приходила в голову мысль, что мистера Экройда могут шантажировать?

— Никогда, сэр. Для меня это было большим сюрпризом. У него были такие правильные привычки...

— И что же вы услышали в тот вечер?

— Не так много, сэр. Можно сказать, что в тот вечер мне отчаянно не везло. Прежде всего мне приходилось выполнять свои обязанности в буфетной, а когда пару раз удалось выбраться к кабинету, то ничего не получилось. В первый раз из кабинета вышел доктор Шеппард — и чуть не поймал меня на месте преступления. А второй раз мимо меня в холле прошел мистер Реймонд и направился в сторону кабинета — и я понял, что не стоит и пытаться. А когда я понес поднос, то меня отправила назад мисс Флора.

Пуаро долго смотрел на говорившего, как будто пытался проверить его искренность. Паркер не отвел глаз.

— Надеюсь, что вы мне верите, сэр. Я все время боялся, что полиция раскопает ту старую историю с майором Эллерби и поэтому станет меня подозревать.

— *Eh bien*, — прервал наконец молчание Пуаро. — Я склонен вам поверить. Но я должен потребовать от вас одну вещь — покажите мне вашу банковскую книжку; ведь она у вас есть, не так ли?

— Да, сэр, и по чистой случайности она у меня с собой.

Не колеблясь, дворецкий достал из кармана требуемое. Пуаро взял у него из рук длинную книжку зеленого цвета и стал изучать ее содержимое.

— Как я вижу, в этом году вы приобрели сертификатов Национального сберегательного банка почти на пятьсот фунтов?

— Да, сэр. У меня уже было отложено около тысячи фунтов — это то, что осталось... после расставания с моим прежним хозяином, с майором Эллерби. Кроме того, я немного играл на скачках, и очень успешно. Вы, может быть, помните, как «полный пыльник»[1] выиграл Юбилейную скачку? Тогда мне повезло — я поставил на него двадцать фунтов.

Пуаро вернул сберкнижку.

— Я пожелаю вам всего хорошего. Уверен, что вы рассказали мне всю правду. Если нет, то... вам же будет хуже, мой друг.

Когда Паркер ушел, детектив опять схватился за пальто.

— Мы опять идем куда-то? — поинтересовался я.

— Да. Давайте нанесем маленький визит доброму мистеру Хэммонду.

— Вы поверили в рассказ Паркера?

— На первый взгляд он выглядит вполне правдоподобно. Очевидно, что Паркер — если только он не блестящий актер — искренне верит, что шантажировали самого мистера Экройда. А если это так, то он ничего не знает о делах, связанных с миссис Феррарс.

— Но в таком случае кто же...

— *Précisément!* Кто? Наш визит к мистеру Хэммонду преследует только одну цель — после него мы

[1] Так на скачках называют лошадь, не имеющую никаких шансов на выигрыш.

или полностью исключим Паркера из списка подозреваемых, или...

— Или что?

— Сегодня утром у меня появилась привычка не заканчивать предложения, — произнес Пуаро извиняющимся тоном. — Вы должны меня извинить.

— Кстати, — довольно не к месту вспомнил я, — должен вам кое в чем признаться. Боюсь, что я ненамеренно рассказал кое-что о том кольце.

— О каком кольце?

— О том, которое вы нашли в пруду с золотыми рыбками.

— Ах вот вы о чем, — сказал Пуаро, широко улыбаясь.

— Надеюсь, вы не очень сердитесь? С моей стороны это было очень неосторожно.

— Совсем не сержусь, мой добрый друг, совсем нет. Я ведь вам этого не запрещал. Вы были вольны говорить о нем, если у вас появится такое желание. Ваша сестра заинтересовалась этим?

— Невероятно! Мой рассказ оказался настоящей сенсацией. Теперь вокруг этого строится масса теорий.

— Ах вот как!.. А ведь все очень просто. Объяснение сразу же бросается в глаза, правда?

— Вы так думаете? — сухо уточнил я.

Пуаро рассмеялся.

— Вы как тот мудрец, который не желает связывать себя никакими выводами, — предположил он. — Разве не так?.. Но вот мы и пришли к мистеру Хэммонду.

Адвокат находился у себя, и нас немедленно провели к нему. Он встал и поприветствовал нас в своей суховатой, выдержанной манере.

Пуаро немедленно перешел к делу:

— Месье, мне необходимо получить от вас информацию, то есть я хочу сказать, что буду благодарен, если вы мне ее любезно сообщите. Как я понимаю, вы были адвокатом скончавшейся миссис Феррарс из «Кингс-Паддок»?

Я заметил удивление, блеснувшее в глазах адвоката, прежде чем тот надел на себя маску профессиональной сдержанности.

— Конечно. Все ее дела вел лично я.

— Отлично. Тогда, прежде чем я задам свой вопрос, прошу вас выслушать то, что вам расскажет доктор Шеппард. Вы не будете против того, друг мой, чтобы повторить ваш разговор с мистером Экройдом вечером в пятницу?

— Ничуть, — ответил я и немедленно начал рассказ о том странном вечере.

Хэммонд слушал меня очень внимательно.

— Вот и всё, — сказал я, закончив свою историю.

— Шантаж, — задумчиво произнес адвокат.

— Вы удивлены? — спросил Пуаро.

Хэммонд снял пенсне и стал полировать его носовым платком.

— Нет, — ответил он. — Я не могу сказать, что удивлен. Я уже некоторое время подозревал что-то подобное.

— Тогда перейдем к моему вопросу, — предложил сыщик, — к той информации, о которой я прошу. Если на свете есть человек, который может назвать нам суммы выплат, то это вы, месье.

— Я не вижу смысла скрывать от вас эту информацию, — сказал Хэммонд, подумав несколько мгновений. — За последний год миссис Феррарс продала некоторые из своих ценных бумаг, деньги от сделки были переведены на ее личный счет и не реинвестированы. Так как доходы у нее были очень большие, а после смерти мужа она вела очень спокойную жизнь, очевидно, что эти суммы были потрачены на какие-то специальные нужды. Однажды я попытался это выяснить, и она сказала, что у нее есть обязательства перед несколькими бедными родственниками ее мужа. Естественно, что я не стал копать дальше. Со своей стороны, до сего дня я был уверен, что деньги были выплачены какой-то женщине, которая предъявила права на Эшли Феррарса. Мне и в голову не могло прийти, что в этом замешана сама миссис Феррарс.

— И о какой сумме мы говорим? — поинтересовался Пуаро.

— В общей сложности все выплаты составили сумму около двадцати тысяч фунтов.

— Двадцать тысяч фунтов! — воскликнул я. — За один год!

— Миссис Феррарс была очень состоятельная женщина, — сухо заметил сыщик. — А наказание за убийство приятным никак не назовешь.

— Могу ли я еще чем-то вам помочь? — поинтересовался мистер Хэммонд.

— Благодарю вас, нет, — Пуаро встал. — Приношу извинения за то, что выбил вас из колеи[1].

— Ничего, ничего.

— Те слова, которые вы только что употребили в значении «отвлечь от дела», применяются только по отношению к душевнобольным людям, — заметил я, когда мы с Пуаро снова оказались на улице.

— Боже! — воскликнул Пуаро. — Никогда не смогу я говорить на вашем языке без ошибок... Английский язык очень странный. Наверное,

---

[1] Английское слово *derange*, которое употребил Пуаро, по отношению к человеку употребляется в основном в значении «вывести из состояния равновесия», «свести с ума».

мне надо было сказать «расстроил ваши планы», *n'est-ce pas?*[1]

— Проще всего в таких случаях говорить «побеспокоил вас».

— Благодарю вас, друг мой. А вы, оказывается, ревностный сторонник точности выражений... *Eh bien*, так что же мы теперь можем сказать о нашем друге Паркере? Продолжил бы он работать в качестве дворецкого, имея в кармане двадцать тысяч фунтов? *Je ne pense pas*[2]. Конечно, он мог положить их в банк на чужое имя, но я склонен считать, что он сказал нам правду. Если он негодяй, то негодяй жалкий. На крупное дело у него мозгов не хватит. Значит, нам придется выбирать из Реймонда и — так уж получается — майора Бланта.

— Это не может быть Реймонд, — возразил я. — Мы же знаем, что он отчаянно нуждался в пятистах фунтах.

— Да. Это он так говорит.

— А что касается Гектора Бланта...

— Я расскажу вам кое-что, касающееся доброго майора Бланта, — прервал меня Пуаро. — Ведь это моя работа — задавать вопросы. Вот я их и задаю. *Eh bien*, то наследство, о котором он говорил, составило сумму около двадцати тысяч фунтов. Что вы скажете по этому поводу?

Я был настолько потрясен, что на какое-то время потерял дар речи.

— Это невозможно, — произнес я наконец. — Такой известный человек, как Гектор Блант...

Сыщик пожал плечами.

---

[1] Не так ли? (*фр.*)

[2] Я так не думаю (*фр.*).

— Кто знает... По крайней мере, в уме ему не откажешь. Признаюсь, я с трудом вижу его в роли шантажиста, но есть еще одна вероятность, которую вы даже не рассматривали.

— Какая же?

— Огонь, мой друг. Экройд сам мог уничтожить то письмо и голубой конверт, после того как вы от него ушли.

— Мне с трудом в это верится, — медленно произнес я. — Хотя... конечно, такое тоже возможно. Он мог просто передумать.

Мы только подъехали к моему дому, и я, под влиянием момента, предложил Пуаро зайти и слегка подкрепиться.

Честно сказать, я думал, что Кэролайн будет мною довольна, но еще раз убедился, как сложно бывает удовлетворить женщину. Оказалось, что на ланч у нас отбивные котлеты, в качестве гарнира к которым подавались щедрые порции требухи и лука. Две же отбивные, стоящие перед тремя взрослыми людьми, вполне могут вызвать у них раздражение.

Однако Кэролайн редко бывает надолго выбита из седла. С великолепным апломбом она объяснила Пуаро, что, хотя Джеймс (то есть я) постоянно смеется над ней, она строго придерживается вегетарианской диеты. В экстазе сестра распространялась о вкусовых качествах котлет из орехов (кстати, я абсолютно уверен, что она в жизни их не пробовала) и мужественно проглотила гренки с сыром, сделав попутно несколько острых замечаний по поводу еды из «плоти».

После еды, когда мы сидели у камина и курили, Кэролайн учинила допрос непосредственно маленькому бельгийцу.

— Так и не нашли Ральфа Пейтона? — начала она.

— А где я могу его найти, мадемуазель?

— Я думала, что, может быть, вы нашли его в Кранчестере, — сказала Кэролайн таинственным тоном.

Пуаро был явно озадачен.

— В Кранчестере? А почему именно там?

Я с некоторым ехидством ввел его в курс дела.

— Один из членов нашей великолепной детективной команды случайно видел вас вчера на Кранчестерском шоссе, — пояснил я.

Озадаченность Пуаро мгновенно исчезла, и он от души рассмеялся.

— Ах вот в чем дело! Это был простой визит к дантисту, *c'est tout*[1]. Мой зуб — он сильно болел. Я поехал к врачу — моему зубу сразу стало лучше. Я хотел быстро вернуться. А дантист, он сказал: НЕТ. Лучше выдрать зуб. Я стал спорить, но он настаивал. И настоял! Этот зуб — он уже больше никогда не заболит.

Кэролайн сдулась, как проколотый воздушный шар.

Мы стали обсуждать Ральфа Пейтона.

— Слабый человек, — настаивал я, — но не злобный.

— Ах вот как! — сказал Пуаро. — А где и когда в человеке начинается его слабость?

— Вот именно, — вмешалась в разговор Кэролайн. — Возьмите, например, Джеймса — совсем слабохарактерный, и если б меня не было рядом...

— Моя дорогая Кэролайн, — раздраженно заметил я, — может быть, мы не будем обсуждать присутствующих?

---

[1] И только (*фр.*).

— Ты *действительно* слаб, Джеймс, — продолжила моя сестрица, не обращая внимания на эти мои слова. — Я на восемь лет старше тебя... ой! Хотя я совсем не против, чтобы месье Пуаро знал...

— Я бы никогда не подумал, мадемуазель, — произнес Пуаро с галантным поклоном.

— На восемь лет старше. И я всегда считала своим долгом оберегать тебя. Бог знает, где б ты оказался сейчас, если не получил бы достойного воспитания.

— Я мог бы жениться на какой-нибудь искательнице приключений, — пробормотал я, глядя в потолок и выпуская кольца дыма.

— На искательнице приключений! — фыркнула Кэролайн. — Уж коль мы заговорили об искательницах приключений...

Она не закончила фразу.

— И что же? — спросил я с любопытством.

— Да так, ничего. У меня есть на примете одна, и совсем близко отсюда. — Потом моя сестрица неожиданно повернулась к Пуаро: — Джеймс утверждает, дескать, вы считаете, что убийца — это один из тех, кто находился в доме. Могу только сказать, что вы совершенно не правы.

— Мне не нравится ошибаться, — заметил Пуаро. — Это не мое — как это называется — *métier?*[1]

— Я достаточно хорошо знакома с фактами, — продолжала Кэролайн, не обращая внимания на слова Пуаро, — благодаря Джеймсу и другим людям. О людях, находившихся в тот момент в доме, я могу сказать следующее: только у двоих из них была возможность это совершить. У Ральфа Пейтона и Флоры Экройд.

— Моя дорогая Кэролайн...

---

[1] Призвание (*фр.*).

— Послушай, Джеймс, не перебивай меня. Я знаю, о чем говорю. Паркер встретил ее *перед* дверью, не так ли? Он не слышал, как ее дядя желал ей спокойной ночи. Значит, она легко могла убить его.

— Кэролайн!..

— Я не говорю о том, что она это *сделала*, Джеймс. Я говорю: *могла сделать*. Хотя должна сказать, что Флора похожа на всех современных девушек, которые не испытывают никакого почтения к старшим и считают, что знают обо всем лучше других. При этом я уверена, что Флора и мухи не обидит. Но дела обстоят именно так. У мистера Реймонда и майора Бланта есть алиби. У миссис Экройд оно тоже есть. Даже у этой Рассел оно есть — в данном случае ей здорово повезло. Кто же остается? Только Ральф и Флора. И говорите что хотите, но я не верю, что Ральф Пейтон — убийца. Мы этого мальчика знаем всю свою жизнь.

Какое-то время Пуаро сидел молча, наблюдая за струйкой дыма, поднимавшейся от его сигареты. Когда он наконец заговорил, то у него был мягкий, отстраненный голос, который производил странное впечатление. Детектив был совсем не похож на того Пуаро, к которому мы все успели привыкнуть.

— Давайте возьмем человека. Совсем простого человека. Человека, который даже и не думает об убийстве. Но где-то глубоко в душе у него есть слабость. Пока она себя никак не проявляла — и, может быть, никогда не проявит; в таком случае этот человек сойдет в могилу достойным и всеми уважаемым членом общества. Но давайте предположим, что что-то случилось. Он попал в сложную ситуацию... или даже не так — он случайно узнает секрет... секрет, который означает жизнь или смерть для другого человека. Его первое намерение — пойти и обо всем рассказать, то есть выполнить свой гражданский долг. Но вот здесь проявляется его слабость. У него появляется шанс получить деньги — очень большие. А он хочет денег, он жаждет их, и все кажется таким простым. Ему ничего не надо делать — надо просто молчать. И это только начало. Жажда денег растет — ему надо все больше, больше и больше! Он уже отравлен этой золотой жилой, появившейся прямо у него под ногами. Он становится жадным. И в своей жадности теряет контроль над собою. На мужчину можно давить столько, сколько хочется, — но с женщиной нельзя перегибать палку. Потому что женщины по сути своей всегда правдолюбки. Сколько мужей, обманывавших своих жен, спокойно сошли в могилу, унеся с собой свои секреты?! А сколько женщин, которые обманывали своих мужей, разрушили свою жизнь только потому, что не смогли удержать язык за зубами и высказали всю правду своим же мужьям?! И все только потому, что на них слишком надавили. В момент полного отчаяния — о чем они потом горько жалели, *bien entendu* — они отбросили свою безопасность в сторону и очертя голову высказали всю правду, получив в тот момент полное удовлетворение. Я думаю, что в этом случае могло произойти что-то похожее. Напряжение было слишком сильным. И вот все произошло по вашей пословице про гуся, несущего золотые яйца. Но на этом все не закончилось. Теперь перед человеком, о котором мы говорили, замаячила возможность разоблачения. А он уже не тот, кем был раньше — скажем, год назад. Он забыл об общечеловеческой морали. Он в отчаянии. Он пытается выиграть заранее проигранную битву, и для него все средства хороши, потому что разоблачение для него — это конец. И... кинжал попадает точно в цель!

Наступила пауза. Казалось, что Пуаро навел морок на нашу комнату. Я не буду даже пытаться описать то впечатление, которое произвел на нас его рассказ. В этом беспощадном анализе, в этом суровом предвидении скрывалось нечто такое, что вселило страх в наши сердца.

— Позже, — продолжил сыщик мягким голосом, — когда преступление будет совершено, он опять станет самим собой. Но если понадобится, кинжал вновь увидит свет и он опять нанесет удар.

Кэролайн с трудом пришла в себя.

— Вы сейчас говорите о Ральфе Пейтоне. Может быть, вы правы, а может быть, и нет, но вы не имеете права приговаривать человека, даже не выслушав его.

Раздался резкий звонок телефона. Я вышел в холл и снял трубку.

— Да? — сказал я. — Да, это говорит доктор Шеппард.

Послушав несколько мгновений, я коротко ответил. Повесив трубку, вернулся в гостиную и сообщил:

— Пуаро, в Ливерпуле задержан человек по имени Чарльз Кент. Полиция считает, что он именно тот незнакомец, который был в «Фернли» в ту ночь. Они хотят, чтобы я приехал в Ливерпуль на опознание.

Глава 18
ЧАРЛЬЗ КЕНТ

Через полчаса мы с Пуаро и Рэгланом сидели в купе поезда, идущего в Ливерпуль. Инспектор был явно сильно возбужден.

— Если ничего больше и не нароем, то хотя бы сможем узнать что-то о шантаже, — ликующе сообщил он. — Этот парень — судя по тому, что мне рассказали по телефону, — непростая штучка. Да еще и наркоман к тому же. Думаю, что нам не составит труда получить от него то, что нам надо. Если у него окажется хоть малейший мотив, то, уверен, именно он и убил мистера Экройда. Но в таком случае почему продолжает прятаться молодой Пейтон? Все это дело — просто болото какое-то... Кстати, месье Пуаро, вы оказались правы в отношении отпечатков пальцев. Они принадлежат самому мистеру Экройду. Мне это тоже приходило на ум, но я отказался от данной идеи как от маловероятной.

Я улыбнулся про себя. Инспектор Рэглан явно спасал свое лицо.

— Что касается этого человека, — спросил Пуаро, — он ведь еще не арестован?

— Нет, задержан по подозрению.

— И что он говорит о себе самом?

— Очень мало, — ответил инспектор с гримасой. — Мне кажется, что он очень подозрительная личность. Сплошные злоупотребления, и ничего больше.

Я был удивлен, что, когда мы прибыли в Ливерпуль, к Пуаро отнеслись как к почетному гостю. Суперинтендант Хейз, который встречал нас, когда-то работал с бельгийцем по одному делу и навсегда сохранил уверенность в сверхспособностях последнего.

— Теперь, когда с нами месье Пуаро, дело не займет много времени, — весело сказал он. — А я думал, что вы ушли на покой, мусью.

— Все так, все так, мой добрый Хейз... Но на покое оказалось невероятно скучно. Вы себе не представляете, с какой монотонностью один день сменяет другой.

— Поверю вам на слово... Так вы приехали ознакомиться с нашей находкой? А это доктор Шеппард? Думаете, что сможете узнать его, сэр?

— Я не очень уверен, — с сомнением ответил я.

— Как вам удалось его схватить? — поинтересовался Пуаро.

— Как вы знаете, мы распространили его словесный портрет как через прессу, так и по своим каналам. И больше, пожалуй, ничего. У этого парня действительно американский акцент, и он не отрицает, что в тот вечер был недалеко от Кингс-Эббот. Постоянно спрашивает, какое это имеет отношение к нам, и грозится разобраться с нами прежде, чем начнет отвечать на вопросы.

— А мне будет разрешено тоже взглянуть на него? — поинтересовался Пуаро.

Суперинтендант многозначительно прикрыл один глаз.

— Я счастлив, что вы с нами, сэр. И вам разрешено абсолютно все. Кстати, третьего дня о вас спрашивал инспектор Джепп из Скотленд-Ярда. Сказал, что вы неофициально занимаетесь этим делом. А где же прячется капитан Пейтон, вы уже знаете, сэр?

— Думаю, что в настоящий момент об этом не стоит говорить, — важно произнес Пуаро, и я прикусил губу, чтобы скрыть улыбку.

Маленький человечек был просто неподражаем.

После дальнейшего обмена любезностями мы наконец прошли на допрос.

Преступник оказался молодым человеком — на мой взгляд, ему было не больше двадцати двух — двадцати трех лет. Высокий и тонкий, он производил впечатление человека, который когда-то обладал недюжинной силой. Волосы у него были темными, а глаза — голубыми и постоянно бегающими; он редко смотрел прямо в глаза собеседнику. Я все надеялся на то, что смогу узнать какие-то особенности фигуры незнакомца, которого встретил той ночью, но если это был именно он, то я сильно ошибался. Этот человек абсолютно никого мне не напомнил.

— Итак, Кент, — обратился к нему суперинтендант, — встаньте. К вам пришли. Вы узнаёте кого-нибудь из этих людей?

Кент равнодушно осмотрел нас и ничего не ответил. Я заметил, что, осмотрев каждого из нас, он остановил свой взгляд на мне.

— А вы, сэр, — обратился суперинтендант ко мне, — что скажете?

— Рост тот же, — сказал я. — Что касается общего впечатления, то это вполне может быть он. Больше ничего сказать не могу.

— Какого черта? Что все это значит? — спросил Кент. — Что у вас есть против меня? Давайте выкладывайте! Что, по-вашему, я такого сделал?

Я кивнул.

— Это он. Я узнал его голос.

— Вы узнали мой голос? И где же, по-вашему, вы слышали его раньше?

— Перед воротами в «Фернли-парк», вечером в пятницу на прошлой неделе. Вы спросили у меня дорогу.

— Да неужели?

— Вы это признаете? — спросил инспектор.

— Я ничего не признаю! До тех пор, пока не узнаю, что у вас на меня есть.

— Вы читали газеты за последние несколько дней? — спросил Пуаро, впервые приняв участие в беседе.

Мужчина прищурил глаза.

— Ах вот в чем дело... Я читал, что в «Фернли» пришили какого-то старика... А теперь вы решили повесить все это на меня, так?

— В ту ночь вы там были, — негромко произнес Пуаро.

— А откуда вы это знаете, мистер?

— Вот откуда. — Пуаро достал что-то из кармана и протянул ему.

Это было гусиное перышко, которое мы нашли в сарае.

При виде пера выражение лица мужчины сразу же изменилось. Он чуть поднял руку в его направлении.

— «Снежок», — задумчиво произнес сыщик. — Но на нем ничего нет, друг мой. Оно лежало в сарае, там, где вы его бросили в ту ночь.

Чарльз Кент неуверенно посмотрел на него.

— Вы, кажется, знаете все обо всем, селезень вы иностранный... Но, может быть, вам стоит вспомнить вот о чем: в газетах написано, что старикашку грохнули между без четверти десять и десятью часами вечера?

— Правильно, — согласился Пуаро.

— Правильно-то правильно, но меня интересует, действительно ли это так?

— На это вам ответит вот этот джентльмен, — сказал Пуаро, указывая на инспектора Рэглана.

Тот немного поколебался, посмотрел на суперинтенданта Хейза, на Пуаро и, как бы получив их согласие, сказал:

— Совершенно верно. Между без четверти десять и десятью часами.

— Тогда меня не за что задерживать, — объявил Кент. — Я ушел из «Фернли-парк» в двадцать пять минут десятого. Можете проверить в «Собаке и свистке» — это такой салун приблизительно в миле от «Фернли-парк» по дороге в Кранчестер. Помню, я там прилично набрался. И было это точно без четверти десять. Ну, что вы на это скажете?

Инспектор Рэглан что-то записал в своей записной книжке.

— Ну так?.. — не отставал от него Кент.

— Мы это проверим, — ответил инспектор. — Если вы говорите правду, то беспокоиться вам не о чем. А что вы делали в «Фернли» в такое время?

— Я встречался там кое с кем.

— С кем именно?

— Не ваше дело.

— Полегче на поворотах, молодой человек, — предупредил его суперинтендант.

— А мне наплевать! Я был там по своим делам, вот и всё. Если меня там не было во время соверше-

234 ния преступления, то больше копов ничего не должно интересовать.

— Вас зовут Чарльз Кент, — вмешался Пуаро. — Откуда вы родом?

Мужчина посмотрел на него, и у него на губах появилась кривая усмешка.

— Не волнуйтесь, я стопроцентный британец!

— Да, — мечтательно согласился с ним сыщик. — Я так и думал. Мне кажется, что вы родились в Кенте.

Мужчина уставился на Пуаро.

— Это еще почему? Из-за моего имени, что ли? Какая здесь связь? Или каждый человек по фамилии Кент приговорен быть рожденным именно в этом графстве?

— При определенных обстоятельствах я могу предположить, что это именно так и есть, — с нажимом произнес Пуаро. — При определенных обстоятельствах, вы меня понимаете?

Это было сказано с таким значением, что оба полицейских удивились. Что же касается Чарльза Кента, то он весь побагровел, и я на секунду подумал, что парень сейчас бросится на Пуаро. Однако он, видимо, передумал и отвернулся с подобием какого-то смеха.

Сыщик кивнул, как будто был полностью удовлетворен происшедшим, и направился к двери. Оба офицера пошли за ним.

— Мы проверим его показания, — заметил Рэглан. — Хотя я не думаю, что он лжет. И тем не менее ему придется объяснить, что он делал в «Фернли». Мне кажется, что этот тип и есть разыскиваемый нами шантажист. С другой стороны, если он рассказал правду, то никак не может быть связан с самим убийством. Когда его арестовали, у него при себе было десять фунтов — довольно приличная сумма. Думаю, что украденные сорок фунтов пошли ему... конечно, номера купюр не совпадают — он, скорее всего, первым делом их обменял. Наверное, мистер Экройд передал ему деньги, и он постарался как можно скорее исчезнуть. А при чем здесь Кент и его место рождения? Какое это отношение имеет к нашему делу?

— Абсолютно никакого, — мягко ответил Пуаро. — Это просто моя маленькая идея, и ничего больше. Я широко известен этими своими маленькими идеями.

— Правда? — спросил Рэглан со странным выражением на лице.

Суперинтендант громко расхохотался.

— Я много раз слыхал, как это говорил сам инспектор Джепп: «Ох уж этот месье Пуаро и его маленькие идеи! Слишком мудрено для меня, но в них всегда что-то есть».

— Вы надо мной смеетесь, — улыбнулся Пуаро. — Но ничего страшного. Иногда последними смеются старики, в то время как молодым и умным уже совсем не смешно.

И глубокомысленно кивнув полицейским, он вышел на улицу.

Ланч в гостинице мы ели вместе. Теперь я знаю, что в тот момент вся картина преступления была ему уже абсолютно ясна. Он получил ту последнюю ниточку, которая привела его к правде.

Но, сидя за столом напротив него, я об этом и не подозревал. Я переоценил обычную самоуверенность Пуаро и был совершенно уверен: то, что является загадкой для меня, является такой же загадкой и для него.

А для меня самой большой загадкой на тот момент было, что такой человек, как Чарльз Кент, мог делать в «Фернли». Снова и снова я задавал себе этот вопрос — и никак не мог найти на него удовлетворительный ответ. В конце концов я решился спросить об этом у Пуаро. Ответил он практически мгновенно.

— *Mon ami*, боюсь, что я этого не знаю.

— Неужели? — недоверчиво спросил я.

— Именно так. Думаю, что для вас это покажется невероятным, если я отвечу, что в ту ночь он был в «Фернли», потому что родился в Кенте?

Какое-то время я удивленно смотрел на него, затем сухо сказал:

— Вы правы, в этом нет никакого смысла.

— Ах вот как! — с сожалением протянул Пуаро. — Но это и неважно. У меня все еще остается моя маленькая идея.

Глава 19
ФЛОРА ЭКРОЙД

Когда на следующее утро я возвращался домой после утреннего обхода, мне помахал инспектор Рэглан. Я остановил машину, и он встал на ее подножку.

— Доброе утро, доктор Шеппард. Так вот, с его алиби все в порядке.

— С алиби Чарльза Кента?

— Да. Официантка в «Собаке и свистке», Салли Джонс, прекрасно его запомнила. Выбрала его фото из пяти предъявленных. Он появился в баре ровно без четверти десять, а «Собака и свисток» расположен больше чем в миле от «Фернли». Девушка упомянула, что с собою у него была куча денег — она видела, как он доставал из карманов смятые бумажки. Это здорово ее удивило — то, что это делал такой человек, как он, в ботинках, которые велики ему на несколько размеров. Так что вот куда ушли наши сорок фунтов.

— А он все еще отказывается говорить, что делал в «Фернли»?

— Упрям, как мул. Я сегодня говорил с Хейзом в Ливерпуле по телефону.

— Эркюль Пуаро говорит, что знает, почему он там оказался, — заметил я.

— Правда? — с нетерпением воскликнул полицейский.

— Да, — мстительно ответил я. — Он сказал, что Кент пошел туда, потому что родился в Кенте. — Я почувствовал истинное удовольствие от того, что смог озадачить этой загадкой еще кого-то.

Пару минут Рэглан смотрел на меня непонимающим взглядом. Потом на его скользкой физиономии расцвела кривая улыбка, и он со значением постучал себя пальцем по лбу.

— Плохи дела, — сказал он. — Я подозреваю это уже некоторое время. Бедняга, так вот почему ему пришлось уйти на покой и приехать сюда... Скорее всего, это наследственное. Тем более что у него есть племянник, у которого крыша съехала полностью.

— У Пуаро? — удивленно переспросил я.

— Ну да. А он что, ничего вам не говорил? Совсем не буйный и все такое, но с головой не дружит напрочь.

— Кто вам об этом сказал?

На лице инспектора появилась все та же кривая ухмылка.

— Ваша сестра, мисс Шеппард. Это она мне все рассказала.

Я не устаю удивляться своей сестрице. Она не успокаивается до тех пор, пока не выясняет все до последнего семейные секреты. К сожалению, мне так и не удалось вбить ей в голову необходимость держать их про себя.

— Залезайте, инспектор, — пригласил я, открывая дверцу. — Давайте вместе проедем в «Ларчиз» и расскажем нашему бельгийскому другу последние новости.

— Неплохая мысль. В конце концов, даже если он не в себе, ведь это же он дал мне наводку на отпечатки пальцев. У него явно что-то есть к этому парню, Кенту, и кто знает, а вдруг за этим что-то стоит?

Пуаро принял нас со своей обычной улыбчивой учтивостью. Он выслушал то, что мы хотели ему рассказать, изредка кивая.

— Кажется, всё в порядке, не так ли? — спросил инспектор с довольно унылым видом. — Человек не может совершить убийство в одном месте, в то время как пьет в другом, которое находится в миле от первого.

— Вы собираетесь его отпустить?

— Не вижу, что тут еще можно сделать. Мы не можем держать его за то, что он завладел деньгами путем мошенничества. Такое никогда не докажешь.

Расстроенным жестом инспектор бросил спичку в камин. Пуаро поднял ее и аккуратно положил в небольшой ящичек, специально предназначенный для этих целей. Сделал он это абсолютно механически. Я видел, что его мысли заняты чем-то совершенно другим.

— На вашем месте, — сказал наконец сыщик, — я бы не стал пока торопиться с освобождением Чарльза Кента.

— Что вы хотите этим сказать? — уставился на него Рэглан.

— Только то, что сказал. Я пока не стал бы его отпускать.

— Но вы же не думаете, что он имеет какое-то отношение к убийству?

— Наверное, нет, но я пока в этом не уверен.

— Но разве я вам только что не рассказал...

Пуаро остановил полицейского протестующим жестом.

— *Mais oui, mais oui.* Я все слышал. Я не глухой и не дурак, слава тебе господи! Но мне кажется, что вы подходите к делу... не с той стороны, я правильно говорю?

Инспектор смотрел на него тяжелым взглядом.

— Не знаю, с чего вы это взяли. Послушайте, мы же знаем, что Экройд был еще жив без четверти десять. Вы же не будете этого отрицать?

Пуаро какое-то время смотрел на Рэглана, а потом сказал с быстрой улыбкой:

— Я ничего не отрицаю — мне нужны *доказательства*!

— Но у нас достаточно доказательств. У нас есть показания мисс Экройд...

— О том, что она пожелала своему дяде спокойной ночи? Но я... я не всегда верю тому, что говорит мне молодая леди, даже если она очаровательна и красива.

— Черт меня побери совсем — но ведь Паркер видел ее выходящей из кабинета!

— Нет, — в голосе Пуаро неожиданно послышались железные нотки. — Именно этого-то он как раз и не видел. Я понял это из моего маленького эксперимента — вы помните, доктор? Паркер видел ее перед дверью, с рукой на дверной ручке. Он не видел, как она выходила из комнаты.

— Но... но где еще она могла быть?

— Может быть, на лестнице?

— На лестнице?

— Да. Это и есть моя маленькая идея, да.

— Но та лестница ведет только в спальню мистера Экройда.

— Вот именно.

Инспектор все еще ничего не понимал.

— Вы думаете, что она была в спальне своего дяди? Почему нет? Но зачем тогда лгать?

— Вот вопрос вопросов! Наверное, это связано с тем, что она там делала.

— Вы хотите сказать... деньги? Черт побери, не думаете же вы, что это мисс Экройд взяла сорок фунтов?

— Я ничего не хочу сказать, — ответил Пуаро. — Зато хочу напомнить вам вот о чем: жизнь для этих женщин, матери и дочери, не была праздником. Счета и постоянные проблемы с получением незначительных сумм денег. Роджер Экройд был очень специфическим человеком в денежных вопросах. Иногда девушка доходила до полного нервного истощения по поводу сравнительно небольших сумм. Так вот, представьте себе следующее...

Она взяла деньги и спускается по маленькой лестнице. Уже спустившись до половины, она слышит позвякивание бокалов в холле. Она совершенно точно знает, что это Паркер направляется в кабинет. Ни за какие деньги она не может позволить ему увидеть себя на лестнице — дворецкий это наверняка запомнит, ее присутствие здесь покажется ему странным. Если пропажа денег обнаружится, Паркер обязательно вспомнит, как она спускалась по этим ступенькам. У нее есть время только на то, чтобы добежать до двери кабинета и, положив руку на ручку двери, притвориться, что она только что вышла оттуда, как раз в тот момент, когда Паркер появляется в дверях. Она говорит ему первое, что приходит ей в голову — почти точно повторяет указания Роджера Экройда, которые он дал чуть раньше, а потом поднимается в свою комнату.

— Да, но позже, — продолжал настаивать инспектор, — она должна была понять необходимость говорить правду. Ведь все держится на ее показаниях!

— Позже... — сухо произнес Пуаро. — Позже мисс Флора попадает в немного затруднительную ситуацию. Ей просто сообщают, что в доме полиция, так как было совершено ограбление. Естественно, что она решает, что открылась кража денег. Единственная мысль, которая приходит ей в голову, — это держаться своего рассказа. Когда Флора узнает, что ее дядя мертв, она впадает в панику. В наши дни, месье, девушки не теряют сознания без серьезных на то причин. *Eh bien!* Вот как все это произошло. Теперь ей надо было или настаивать на своей предыдущей истории, или во всем признаваться. Думаю, что молодой и красивой девушке не очень приятно сознаваться в том, что она воровка, — особенно в присутствии тех, чье уважение она хочет сохранить любым способом.

Рэглан ударил кулаком по столу.

— Я в это никогда не поверю, — сказал он. — В этом... в этом нет никакого смысла. И вы все это время знали об этом?

— Такая возможность пришла мне в голову с самого начала, — признался Пуаро. — Я всегда был уверен, что мадемуазель Флора что-то от нас скрывает. Чтобы убедиться в этом, я проделал небольшой эксперимент и попросил доктора Шеппарда составить мне компанию.

— Но сказали мне, что это была проверка Паркера, — с горечью заметил я.

— *Mon ami*, — сказал Пуаро извиняющимся голосом, — я же тогда сказал вам, что всегда надо чем-то заканчивать беседу.

Инспектор встал.

— У нас только один выход, — произнес он. — Мы немедленно должны переговорить с молодой леди. Вы поедете со мною в «Фернли», месье Пуаро?

— Обязательно. Доктор Шеппард отвезет нас на своей машине.

Я с удовольствием согласился.

Когда мы спросили мисс Флору, нас провели в бильярдную. Флора и майор Блант сидели на длинной банкетке у окна.

— Доброе утро, мисс Экройд, — поздоровался инспектор. — Не могли бы вы уделить нам несколько минут?

Блант тут же встал и направился к двери.

— А в чем, собственно, дело? — нервно спросила Флора. — Не уходите, майор Блант. Он же может остаться? — уточнила она, поворачиваясь к инспектору.

— Это вам решать, — сухо ответил инспектор. — Я обязан задать вам несколько вопросов и предпочел бы сделать это с глазу на глаз. Мне кажется, что это было бы и в ваших интересах.

Флора проницательно посмотрела на него. Я увидел, как сильно она побледнела. Но девушка повернулась и обратилась к майору Бланту:

— Я хочу, чтобы вы остались. Прошу вас... я действительно этого хочу. Неважно, что инспектор собирается мне сказать, я хочу, чтобы вы это слышали.

Рэглан пожал плечами.

— Что ж, если вы так хотите, то так тому и быть. Итак, мисс Экройд, месье Пуаро в разговоре со мною высказал одно предположение. Он полагает, что вечером прошедшей пятницы вы вообще не заходили в кабинет, не видели мистера Экройда и не желали ему спокойной ночи. Вместо того чтобы быть в кабинете, вы находились на маленькой лестнице, ведущей в спальню вашего дяди, когда услышали, как Паркер идет через большой холл.

Флора перевела глаза на Пуаро, и тот кивнул ей, подтверждая слова полицейского.

— Мадемуазель, вчера, когда все мы сидели за столом, я умолял вас сказать мне правду. То, что папаше Пуаро не говорят, он узнает сам. Все ведь было именно так, правильно? Давайте я попробую облегчить вам признание. Вы ведь взяли деньги, правильно?

— Деньги? — резко спросил Блант.

Наступила пауза, которая длилась не меньше минуты.

Затем Флора выпрямилась и заговорила:

— Месье Пуаро прав — это я взяла деньги. Я их украла. Да, я воровка, простая, вульгарная воровка. Теперь вы это знаете! Я рада, что все наконец выяснилось. Последние несколько дней были настоящим кошмаром! — Она неожиданно села и спрятала лицо в руках; ее хриплый голос доносился сквозь пальцы. — Вы не представляете, во что превратилась моя жизнь, когда мы приехали сюда. Хотеть какие-то вещи, строить планы, как их заполучить, лгать, изворачиваться, получать счета и обещать заплатить по ним... Боже! Как я себя ненавижу, когда думаю обо всем этом! Именно это и сблизило нас с Ральфом. Мы оба слабые люди! Я хорошо понимала и сочувствовала ему, потому что сама была такой же. Ни один из нас не мог бороться в одиночку. Мы были слабыми, несчастными, презренными существами...

Она взглянула на Бланта и неожиданно топнула ногой.

— Почему вы так смотрите на меня — как будто не можете в это поверить? Возможно, я и воровка, но сейчас я настоящая. Я больше не лгу. Я не притворяюсь той девушкой, которая вам нравится, — молодой, невинной и бесхитростной. И мне все равно, если вы больше не захотите меня видеть.

Я ненавижу и презираю себя, но вы должны понять одну вещь — если бы правда могла помочь Ральфу, я сказала бы всю правду. Но я все время видела, что положение Ральфа от этого не улучшится, а наоборот, может стать еще тяжелее. А тем, что я продолжала повторять свою ложь, я никак ему не вредила.

— Ральф, — произнес Блант. — Везде и всюду один Ральф.

— Вы ничего не поняли, — сказала Флора с безнадежностью в голосе. — И никогда не поймете. — Она повернулась к инспектору: — Я признаюсь во всем. Я с ума сходила — так мне нужны были эти деньги. Я больше не видела своего дядю после того, как он встал из-за обеденного стола. Что же касается денег, то вы вольны предпринять любые шаги на ваше усмотрение — хуже все равно уже не будет!

Неожиданно в ней опять что-то сломалось, она закрыла лицо руками и выбежала из комнаты.

— Что ж, — сказал инспектор ровным голосом. — Такие вот дела.

Было видно, что он не знает, что делать дальше.

Блант сделал шаг вперед.

— Инспектор Рэглан, — негромко произнес он, — эти деньги мистер Экройд передал мне для одного дела. Мисс Экройд до них никогда не дотрагивалась. И если она говорит обратное, то лжет, пытаясь прикрыть капитана Пейтона. Я сказал вам чистую правду, и я готов повторить это под присягой.

Он неловко поклонился, резко повернулся и вышел из комнаты.

Пуаро быстрее молнии бросился вслед за ним. Он нагнал его в холле.

— Месье, умоляю вас, будьте так добры, подождите секундочку.

— Что вы хотите, сэр? — Было видно, что терпение Бланта на пределе.

— Дело вот в чем, — быстро заговорил Пуаро. — Ваша маленькая фантазия меня ничуть не обманула. Абсолютно. Деньги взяла именно мисс Флора. Но то, что вы выдумали, вполне могло произойти, — так что я доволен. Вы совершили настоящий поступок — вы быстро принимаете решения и претворяете их в жизнь.

— Меня совершенно не волнует ваше мнение, сэр, увольте меня от него, — холодно ответил майор Блант.

Он еще раз попытался пройти, но Пуаро, совсем не обидевшись, положил ему руку на плечо.

— И тем не менее вы должны меня выслушать. У меня есть еще что сказать. Вчера я говорил о том, что все что-то скрывают. Так вот, я уже давно вижу, что скрываете лично вы. Мадемуазель Флора — вы любите ее всем сердцем. С того самого момента, как увидели ее впервые, правильно? Послушайте, давайте не будем стесняться этих слов — почему все в Англии думают, что о любви надо говорить как о какой-то постыдной тайне? Вы любите мадемуазель Флору, но хотите скрыть этот факт от всего света. Очень хорошо, так и должно быть. Однако послушайтесь совета Эркюля Пуаро — не скрывайте этого от самой мадемуазель.

Блант уже давно открыто демонстрировал свое нетерпение, но последние слова Пуаро его явно заинтересовали.

— Что вы имеете в виду? — резко спросил он.

— Вы считаете, что она любит капитана Ральфа Пейтона, но я, Эркюль Пуаро, говорю вам, что это не так. Мадемуазель Флора приняла капитана Пейтона, чтобы доставить удовольствие своему дяде и потому, что в этой свадьбе она видела свой шанс убежать от здешней жизни, которая, говоря по правде, стала для нее совершенно невыносимой. Он ей нравится, и между ними была взаимная симпатия и взаимопонимание. Но не любовь! Мадемуазель Флора любит совсем не капитана Пейтона.

— Что, черт возьми, вы несете?

Я видел, что под загаром майор побагровел.

— Вы слепец, месье. Слепец! Эта малышка — очень верный человек. Ральф Пейтон попал в беду, и честь заставляет ее быть сейчас на его стороне.

Я почувствовал, что настало время вмешаться и вставить пару фраз в поддержку того, что говорил Пуаро.

— Прошлым вечером моя сестра сказала, — произнес я бодрым тоном, — что Флору Ральф Пейтон никогда ни на йоту не интересовал и не заинтересует. А в таких делах моя сестра знает толк.

Блант полностью проигнорировал мои добрые намерения. Он говорил только с Пуаро.

— Вы действительно думаете, что... — сказал майор и замолчал.

Он был одним из тех неразговорчивых людей, которым трудно выражать свои мысли словами.

Пуаро же таких проблем никогда не испытывал.

— Если вы не верите мне, то спросите об этом ее саму, месье. Но, может быть, вас это больше не волнует — все эти денежные недоразумения...

Блант издал звук, который мне показался злобным смехом.

— Вы думаете, что на меня это произведет какое-то впечатление? Роджер всегда был не совсем нормален в том, что касалось денег. Она попала в передрягу и побоялась сказать об этом ему. Бедняжка. Бедная, одинокая девочка...

Пуаро задумчиво посмотрел на боковую дверь.

— Мне кажется, мадемуазель Флора вышла в сад, — чуть слышно пробормотал он.

— Я был совершеннейшим идиотом во всех отношениях, — резко заявил Блант. — Странная у нас тут с вами беседа получается. Похожа на эти датские[1] пьесы. Вы отличный парень, месье Пуаро, благодарю вас.

Он взял детектива за руку и так сжал ее, что маленький сыщик заморгал от боли; после этого широкими шагами вышел через боковую дверь в сад.

— И совсем не во всех отношениях, — прошептал Пуаро, нежно поглаживая пострадавшую конечность, — а только в любви.

---

[1] Блант имеет в виду пьесу У. Шекспира «Гамлет, принц датский».

Глава 20
МИСС РАССЕЛ

Теории инспектора Рэглана был нанесен серьезный удар. Героическая ложь майора Бланта обманула его не больше, чем нас. Всю обратную дорогу он жаловался на свою судьбу.

— Ведь это переворачивает все с ног на голову. Я не знаю, понимаете ли вы это, месье Пуаро?

— Думаю, что да. Мне так кажется, — отвечал детектив. — Понимаете, я живу с этой мыслью уже некоторое время.

Инспектор Рэглан, которому эта мысль была преподнесена всего полчаса назад, взглянул на бельгийца несчастными глазами и продолжил развивать свою мысль:

— Взять хотя бы эти алиби... Бесполезны. Абсолютно бесполезны! Надо все начинать сначала. Теперь придется выяснять, что каждый делал *после* половины десятого. Половина десятого — вот теперь то время, на которое мы должны ориентироваться. Вы были совершенно правы в отношении этого Кента — теперь мы *его* никуда не отпустим... Дайте подумать — в девять сорок пять его видели в «Собаке и свистке». Бегом он смог бы добраться туда за четверть часа. Так что вполне возможно, что мистер Реймонд слышал, как *именно он* разговаривал с мистером Экройдом — просил деньги, в которых тот

250 ему отказал. Только одного не могу понять — звонил точно не он. Станция находится на расстоянии полумили в противоположном направлении — это значит, в полутора милях от «Собаки и свистка». А он находился в этом баре до десяти минут одиннадцатого... Проклятый телефонный звонок. Никуда от него не деться!

— Действительно, — согласился Пуаро. — Это очень любопытно.

— Есть, правда, вариант, что когда капитан Пейтон забрался в дом и нашел своего дядюшку мертвым, то позвонил он сам. А потом испугался, что его могут обвинить в убийстве, и исчез. Такое ведь возможно, правильно?

— А зачем ему надо было звонить?

— Н-у-у, может быть, засомневался, действительно ли старик умер. Решил срочно вызвать врача, но не захотел выдавать себя. Как вам нравится такая теория? Мне кажется, в ней что-то есть.

Инспектор важно выпятил грудь. Он был настолько откровенно восхищен самим собой, что мы с Пуаро поняли: любые наши слова будут абсолютно лишними.

В эту минуту мы подъехали к моему дому, и я заторопился к своим пациентам, которые уже заждались меня. Пуаро же с инспектором направились в полицейский участок.

Отпустив последнего пациента, я отправился в небольшую комнату в задней части дома, которую называю своей мастерской — я очень горжусь собранным мной радиоприемником на аккумуляторах. Кэролайн эту комнату ненавидит. Здесь я держу свои инструменты, и Энни категорически запрещается прикасаться к этому хаосу щеткой и тряпкой. Я как раз заканчивал установку механизма в часы, признанные всеми не подлежащими восстановлению, когда открылась дверь и Кэролайн просунула свою голову внутрь.

— Ах вот ты где, Джеймс, — сказала она с осуждением. — Тебя хочет видеть месье Пуаро.

— Ну что же, — сказал я раздраженно, так как ее внезапное появление испугало меня и я уронил одну из деталей сложного механизма. — Если хочет, то пусть приходит сюда.

— Сюда? — переспросила моя сестрица.

— Именно так я и сказал — сюда.

Кэролайн неодобрительно фыркнула и удалилась. Вернулась она через пару минут, в сопровождении Пуаро, а потом снова удалилась, громко захлопнув дверь.

— Ага, друг мой, — сказал детектив, проходя в комнату и потирая руки. — Теперь вы видите, что от меня не так-то легко избавиться!

— Вы уже закончили с инспектором? — поинтересовался я.

— На сегодня — да. А вы тоже уже приняли всех своих пациентов?

— Да.

Пуаро сел и посмотрел на меня, склонив свою похожую по форме на яйцо голову набок. У него был вид человека, в голове у которого вертится хорошая шутка.

— А вот и ошибаетесь, — наконец произнес он. — У вас будет еще один пациент.

— Надеюсь, не вы? — удивленно воскликнул я.

— Нет, не я, *bien entendu*. У меня прекрасное здоровье. Нет, я признаюсь вам, что это мой небольшой *complot*[1]. Понимаете ли, мне надо встретиться с одним человеком — и в то же время сделать это так, чтобы вся деревня не обсуждала эту встречу, что непременно произойдет, если кто-то увидит, как ле-

---

[1] Заговор (*фр.*).

ди входит ко мне в дом. Как вы поняли, я говорю о даме, которая, кстати, недавно была у вас в качестве пациентки.

— Мисс Рассел! — воскликнул я.

— *Précisément*. Я очень хочу с нею переговорить, поэтому послал ей записочку и назначил встречу в вашей операционной. Надеюсь, что вы на меня не сердитесь?

— Наоборот, — сказал я, — но только в том случае, если мне будет позволено присутствовать при беседе.

— Ну естественно, ведь это ваша операционная.

— Знаете ли, — сказал я, кладя пинцет, который держал в руках, — я совершенно заинтригован этим делом. Каждый раз, когда происходит что-то новое, вы как будто поворачиваете детский калейдоскоп — и вся картина изменяется радикально. Скажите, почему вы так хотите переговорить с мисс Рассел?

Пуаро поднял брови.

— Но ведь это же очевидно, — пробормотал он.

— Ну вот, опять вы, — проворчал я. — Послушать вас, так очевидно абсолютно все; а вот я брожу как в густом тумане.

Пуаро добродушно покачал головой.

— Вы надо мною смеетесь... Возьмите, например, ситуацию с мадемуазель Флорой. Инспектор действительно был удивлен, а вы... совсем нет.

— Мне в голову не могло прийти, что она воровка, — запротестовал я.

— Такое вполне возможно. Но я наблюдал за вами, и вы не были — как инспектор Рэглан — ни в ужасе, ни поражены.

Пару минут я обдумывал его слова.

— Может быть, вы и правы, — согласился я наконец. — Все это время я чувствовал, что Флора что-то скрывает от нас, поэтому правда, когда она вышла наружу, была подсознательно ожидаема. А вот инспектора Рэглана, беднягу, она очень сильно расстроила.

— Ах! *Pour ça oui*[1]. Теперь бедняге придется все осмысливать заново. Я воспользовался состоянием душевного хаоса, в котором он сейчас пребывает, и заставил его оказать мне небольшую услугу.

— Какую же?

Сыщик достал из кармана листок бумаги. На нем было написано несколько слов, которые он прочитал вслух:

В течение нескольких дней полиция разыскивала капитана Ральфа Пейтона, племянника мистера Экройда из «Фернли-парк», который умер при трагических обстоятельствах в прошлую пятницу. Капитана Пейтона удалось наконец задержать в Ливерпуле, при попытке сесть на корабль, следующий в Америку.

Маленький бельгиец убрал бумажку.

— И это, друг мой, будет напечатано в завтрашних газетах.

Я уставился на него, напрочь лишившись дара речи.

— Но... но это же неправда! Он не в Ливерпуле!

Пуаро лучезарно улыбался.

— Вы невероятно быстро соображаете! Действительно, его не задерживали в Ливерпуле. Инспектор Рэглан был очень против того, чтобы я посылал этот текст в газеты, в особенности потому, что я не мог рассказать ему все. Но я торжествен-

---

[1] Это да (*фр.*).

но пообещал, что после публикации мы увидим очень интересные результаты, и он сдался, подчеркнув, что ни в коем случае не собирается за это отвечать.

Я уставился на Пуаро, а он улыбнулся мне в ответ.

— Никак не могу понять, — заявил я наконец, — чего вы от всего этого ожидаете.

— Надо лучше использовать свои серые клеточки, — посоветовал мне Пуаро на полном серьезе, встал и подошел к верстаку. — Так вы действительно любите всякую технику, — заметил он, исследовав результаты моих трудов.

У каждого человека есть хобби. Я немедленно продемонстрировал бельгийцу свой приемник на аккумуляторах. Увидев, что он им заинтересовался, показал ему парочку собственных изобретений — мелочей, которые были полезны в хозяйстве.

— Определенно, — сказа Пуаро, — вам надо было становиться изобретателем, а не врачом... Но я слышу звонок — это ваша пациентка. Давайте пройдем в операционную.

И опять я был поражен остатками былой красоты на лице домоправительницы. Одетая в совсем простое черное платье, высокая, прямая, с независимой осанкой, с большими темными глазами и легким румянцем на обычно бледных щеках, эта женщина в молодости должна была быть настоящей красавицей.

— Доброе утро, мадемуазель, — поприветствовал ее Пуаро. — Не хотите ли присесть? Доктор Шеппард настолько добр, что позволил мне воспользоваться своей операционной для небольшой беседы с вами, которую я с нетерпением жду.

Собранная, как и всегда, мисс Рассел села на предложенное место. Если она и была взволнована, то ничем этого не показала.

— Если позволите, то хотела бы заметить, что вы довольно странно ведете свои дела, — заметила домоправительница.

— Мисс Рассел, у меня есть для вас новость.

— Неужели?

— В Ливерпуле арестовали Чарльза Кента.

На ее лице не дрогнул ни один мускул. Она только чуть шире открыла глаза и спросила с некоторым вызовом:

— Ну и что из этого?

И в этот момент я все понял — это сходство, которое мучило меня все эти дни, этот вызов в манерах Чарльза Кента... Два голоса — один грубый, и другой, который вполне мог бы принадлежать настоящей леди, — они были странно похожи по тембру. Незнакомец перед воротами «Фернли-парк» напомнил мне в ту ночь мисс Рассел.

Потрясенный своим открытием, я взглянул на Пуаро, и тот чуть заметно кивнул мне.

В ответ на вопрос мисс Рассел сыщик истинно французским жестом развел руки в стороны.

— Я просто подумал, что это может показаться вам интересным, — мягко произнес он.

— Боюсь, что не очень, — сказала мисс Рассел. — А кто он такой, этот Чарльз Кент?

— Мужчина, мадемуазель, который был в «Фернли» в ночь преступления.

— Правда?

— К счастью для Кента, у него есть алиби. Без четверти десять он был в баре, в миле от «Фернли».

— Ему повезло, — прокомментировала мисс Рассел.

— Но мы так до сих пор и не знаем, что он делал в поместье, — например, с кем там встречался.

— Боюсь, что ничем не смогу вам помочь, — вежливо сказала домоправительница. — Лично я ничего не слышала. Если это все...

Она сделала легкое движение, как будто хотела встать. Пуаро остановил ее.

— Не совсем все, — произнес он ровным голосом. — Дело в том, что сегодня утром в деле появились новые данные. Сейчас выходит так, что мистера Экройда убили не без четверти десять, а раньше. Где-то между без десяти восемь, когда от него ушел доктор Шеппард, и без четверти девять.

Я увидел, как домоправительница смертельно побледнела. Слегка качнувшись, она наклонилась вперед.

— Но ведь мисс Экройд говорила... мисс Экройд говорила...

— Мисс Экройд призналась, что лгала все это время. В тот вечер она вообще не заходила в кабинет.

— Но тогда...

— Тогда все говорит за то, что Чарльз Кент — именно тот человек, которого мы ищем. Он был в «Фернли», но ничего не говорит о том, что там делал...

— Я могу сказать вам, что он там делал. Он и пальцем не дотронулся до мистера Экройда — и даже близко не подходил к кабинету. Уверяю вас, это сделал не он.

Она сидела, подавшись вперед. Ее железное самообладание было наконец пробито. На ее лице были написаны ужас и отчаяние.

— Месье Пуаро! Месье Пуаро! Умоляю вас верить мне...

Сыщик встал, подошел к женщине и ободряюще погладил ее по плечу.

— Конечно, ну конечно, я вам поверю. Но мне надо, чтобы вы рассказали...

На мгновение ее охватило подозрение.

— Скажите, все, что вы сейчас сказали, — правда?

— Что Чарльза Кента подозревают в совершении преступления? Да, это правда. И вы одна можете спасти его, рассказав, зачем он приходил в «Фернли».

— Он пришел, чтобы встретиться со мною. — Она говорила быстро, низким голосом. — Я вышла, чтобы встретиться с ним...

— Да, я знаю, в сарае.

— А откуда вы это знаете?

— Мадемуазель, это работа Пуаро — все знать. Я знаю, что вы выходили в тот вечер еще раз — чуть раньше, — и что оставили в сарае записку, в которой написали, во сколько вы появитесь.

— Да, все так. Он сам сообщил мне, что собирается приехать. Я не посмела позволить ему прийти в дом. Я написала на тот адрес, который он мне сообщил, и предложила встретиться в сарае, подробно описав, как его найти. А потом испугалась, что он может потерять терпение, ожидая меня, вот и выбежала и оставила в сарае клочок бумаги, на котором написала, что буду около десяти минут десятого. Я не хотела, чтобы меня увидели слуги, поэтому вернулась в дом через окно в гостиной. Когда я входила, то встретила доктора Шеппарда и подумала, что ему это может показаться странным — я сильно запыхалась, потому что бежала. Я не знала, что в тот вечер он был приглашен на обед.

Женщина сделала паузу.

— Продолжайте, — подбодрил ее Пуаро. — Итак, вы вышли, чтобы встретиться с ним в десять минут десятого. И что же вы сказали друг другу?

— Это непростой вопрос. Дело в том...

— Мадемуазель, — прервал ее Пуаро. — В этом деле мне нужна полная и абсолютная правда. То, что вы нам сейчас расскажете, никогда не покинет пределов этой комнаты. И я, и доктор Шеппард постараемся сохранить ваш секрет. Давайте я вам немного помогу. Этот Чарльз Кент — он ведь ваш сын, не так ли?

Женщина кивнула, и к ее щекам опять прилила кровь.

— Об этом не знает ни одна живая душа. Это было очень-очень давно, в Кенте. Я была не замужем...

— И вы решили дать вашему сыну фамилию по названию графства — понятно.

— Я пошла работать, и мне удавалось платить за его проживание и обучение. Я никогда не говорила ему, что я его мать. А потом он пошел по кривой дорожке — стал пить, потом принимать наркотики... Мне удалось заработать на его билет до Канады — и после этого я ничего о нем не слышала года два. Но каким-то образом он узнал, что я его мать, и написал мне письмо, требуя денег. И вот наконец я узнала, что он вернулся в Англию. Он сказал, что хочет увидеться со мною в «Фернли». Я не посмела пригласить его в дом. Ведь меня всегда считали такой... такой уважаемой дамой... Если бы кто-нибудь об этом узнал — моей карьере домоправительницы пришел бы конец. Поэтому я и написала ему то, о чем уже рассказала.

— А утром пришли на прием к доктору Шеппарду?

— Да. Я хотела узнать, нельзя ли ему чем-то помочь. Он был неплохим мальчиком, пока не пристрастился к наркотикам.

— Понятно, — сказал Пуаро. — Но давайте вернемся к вашему рассказу. В ту ночь он пришел в сарай?

— Да, он уже ждал меня там. Он был очень груб и требователен. Я принесла все свои деньги и отдала их ему. Мы немного поговорили, а потом он ушел.

— Во сколько?

— Где-то между двадцатью и двадцатью пятью минутами десятого. Когда я дошла до дома, еще не было половины десятого.

— По какой дороге он направился?

— По той же, по которой пришел, — по тропинке, которая отходит от подъездной дороги сразу за сторожкой.

Пуаро кивнул.

— А вы сами, что сделали вы?

— Вернулась в дом. Увидела, что майор Блант ходит по террасе и курит, поэтому обошла дом и вошла через боковую дверь. Как я и сказала, как раз в это время пробило половину десятого.

Пуаро опять кивнул и сделал пару записей в своей микроскопической записной книжке.

— Думаю, что этого достаточно, — задумчиво произнес он.

— А мне надо... — женщина заколебалась. — А мне надо рассказать все это инспектору Рэглану?

— Возможно, это и понадобится, но давайте не будем торопить события. Давайте продвигаться вперед не торопясь, не забывая о порядке и системе. Пока еще Чарльзу Кенту не предъявлено официальное обвинение в убийстве. Не исключаю, что при некоторых обстоятельствах ваша история никому не будет нужна.

Мисс Рассел встала.

— Благодарю вас, месье Пуаро, — произнесла она. — Вы были очень добры — действительно, очень. Вы... вы же мне поверили, ведь правда? Что Чарльз не имеет никакого отношения к этому отвратительному убийству?

— У меня нет никаких сомнений, что человек, который в половине десятого разговаривал с мистером Экройдом у него в кабинете, не может быть вашим сыном. Крепитесь, мадемуазель. Все еще будет хорошо.

Мисс Рассел ушла, и мы остались с Пуаро вдвоем.

— Вот такие дела, — сказал я. — Каждый раз мы упорно возвращаемся к Ральфу Пейтону... Как вам удалось определить, что Чарльз Кент приходил на встречу именно к мисс Рассел? Вы заметили их внешнее сходство?

— Я соединил ее с незнакомцем задолго до того, как мы встретились с ним лицом к лицу, — в тот самый момент, когда нашли перышко. Оно означало наркотики, и я вспомнил ваш рассказ о визите мисс Рассел. Потом в утренней газете я наткнулся на статью о кокаине — и все стало ясно. Утром она имеет контакт с кем-то, кто сидит на наркотиках, потом читает о них статью в утренней газете, а затем появляется у вас со своими вопросами. Кокаин она упоминает потому, что статья была о кокаине. Однако, увидев, что вы сильно этим заинтересовались, быстро переводит разговор на детективные романы и неопределяемые яды... Однако мне пора идти. Время ланча.

— Оставайтесь у нас, — предложил я.

Пуаро покачал головой, а в его глазах мелькнул огонек.

— Только не сегодня. Я не хочу, чтобы из-за меня мадемуазель Кэролайн второй день подряд сидела на вегетарианской диете.

Тогда я понял, что мало что избегает внимания Пуаро.

Глава 21
ЗАМЕТКА В ГАЗЕТЕ

Естественно, что Кэролайн заметила, как мисс Рассел подходила к двери операционной. Я это предвидел — и подготовил подробное описание состояния колена моей пациентки. Однако Кэролайн была не в настроении проводить перекрестный допрос. Моя сестрица придерживалась мнения, что именно она, а не я, знает истинную причину появления мисс Рассел.

— Она выкачивает из тебя информацию, Джеймс, — сказала мне Кэролайн, — и делает это совершенно бесстыдным образом. Я в этом уверена, и не пытайся мне возражать. Уверена, что ты даже не подозреваешь, что она это делает. Вы, мужчины, такие простаки... Она знает, что ты — доверенное лицо месье Пуаро, и хочет узнать подробности. Знаешь, что мне пришло в голову, Джеймс?

— Боюсь даже предположить. Тебе в голову приходят совершенно невероятные вещи.

— Не понимаю, при чем здесь этот твой сарказм. Мне пришло в голову, что мисс Рассел знает о смерти мистера Экройда гораздо больше, чем говорит.

С видом триумфатора Кэролайн откинулась на спинку кресла.

— Ты действительно так думаешь? — рассеянно спросил я.

— Ты сегодня какой-то вареный, Джеймс. Как будто из тебя выпустили весь воздух. Это все твоя печень.

После этого наш разговор перешел на обсуждение семейных проблем.

Как это и ожидалось, заметка, инспирированная Пуаро, появилась в газетах на следующее утро. Цель ее размещения мне была неведома, но на мою сестру она произвела колоссальное впечатление.

Она начала с ложного заявления о том, что все время об этом говорила. Я поднял брови, но спорить не стал. Однако Кэролайн, по-видимому, почувствовала легкие угрызения совести, потому что продолжила свою мысль:

— Может быть, я и не называла конкретно Ливерпуль, но я всегда знала, что он попытается сбежать в Америку. Как Криппен[1].

— Без большого успеха, — напомнил я ей.

— Бедный мальчик, они все-таки его поймали... Думаю, Джеймс, что ты обязан сделать все, чтобы его не повесили.

— И что же, по твоему мнению, я должен сделать?

— Но ведь ты же врач, правда? И знаешь его с самого детства. «Не отвечает за свои действия» — вот какой линии надо придерживаться. Я только недавно читала, как они счастливы в Брэдморе[2] — заведение больше напоминает высококлассный клуб.

Слова Кэролайн напомнили мне кое о чем.

---

[1] Более известен как Доктор Криппен — американский гомеопат и дантист, ставший фигурантом одного из самых громких дел об убийстве в криминалистике XX в.; первый преступник, задержанный с помощью радиосвязи.

[2] Тюрьма строгого режима в Англии, в которой содержатся душевнобольные преступники.

— А я не знал, что у Пуаро племянник — имбецил, — с любопытством заметил я.

— Правда, не знал? Он мне все об этом рассказал. Бедный мальчик... Ужасное горе для всей семьи. Пока они держат его дома, но болезнь принимает такой оборот, что они боятся, что его придется переводить в какую-то клинику.

— Думаю, что теперь ты знаешь уже все, что можно, о семье Пуаро, — сказал я в изнеможении.

— Думаю, что да, — самодовольно согласилась Кэролайн. — Это такое счастье, когда у людей есть с кем поделиться своими проблемами...

— Возможно, — согласился я, — но только если такая возможность появляется у них спонтанно. А вот нравится ли им или нет, когда эту информацию у них вырывают клещами, — другой вопрос.

Кэролайн взглянула на меня с видом христианской мученицы, наслаждающейся посланными ей мучениями.

— Ты всегда себе на уме, Джеймс, — сказала она. — Никогда никому ничего не говоришь и не рассказываешь того, что знаешь, и почему-то считаешь, что все окружающее должны быть такими же. Хочу надеяться, что я никогда не вырываю признания клещами. Например, сегодня месье Пуаро пришел во второй половине дня, как и обещал, и мне даже в голову не пришло спросить его о том, кто появился в его доме сегодня рано утром.

— Рано утром? — заинтересовался я.

— Очень рано, — повторила Кэролайн. — Еще до молочника. Я случайно выглянула в окно — штору подняло порывом ветра. Это был мужчина. Он приехал в закрытой машине и был закутан с ног до головы. Так что я не смогла его рассмотреть. Но скажу тебе, кто он, по *моему* мнению, а потом ты убедишься, что я была права.

— И кто же?

Кэролайн таинственно понизила голос.

— Эксперт из Хоум-офис[1], — выдохнула она.

— Эксперт из Хоум-офис, — потрясенно повторил я. — Боже мой, Кэролайн!

— Попомни мои слова, Джеймс. Ты еще увидишь, как я права. Утром эта девица Рассел приходила к тебе по поводу ядов. Роджеру Экройду в тот вечер вполне могли подсыпать яд во время обеда.

Я громко рассмеялся.

— Полная ерунда! — воскликнул я. — Его убили ударом кинжала в шею. И ты знаешь это так же хорошо, как и я.

— После смерти, Джеймс, — заметила Кэролайн. — Чтобы направить расследование по ложному следу.

— Послушай, женщина, — возмутился я, — я сам осматривал тело и знаю, о чем говорю. Эту рану нанесли не после смерти, эта рана стала причиной смерти, и ты можешь быть в этом совершенно уверена.

Кэролайн продолжала смотреть на меня с видом всезнайки, и это так меня разозлило, что я продолжил:

— Может быть, ты вспомнишь, Кэролайн, есть ли у меня медицинский диплом или нет?

— Наверное, есть, Джеймс. То есть я хотела сказать, что знаю, что он у тебя есть. А вот воображения у тебя нет никакого.

— Тебе создатель выделил тройную порцию, так что мне ничего не осталось, — сухо ответил я.

---

[1] Так в Англии часто называют Министерство внутренних дел.

Во второй половине дня, когда у нас появился Пуаро, я с удовольствием наблюдал за маневрами моей сестрицы. Не задавая прямых вопросов, она всеми возможными способами возвращалась к вопросу таинственного гостя. По блеску в глазах бельгийца я понял, что он тоже об этом догадался. Пуаро оставался совершенно непроницаем и с таким успехом блокировал все ее попытки, что в конце концов даже она растерялась.

Насладившись, как я полагаю, этой невинной игрой, детектив встал и предложил мне прогуляться.

— Надо следить за фигурой, — пояснил он. — Вы не составите мне компанию, доктор? А потом, может быть, мадемуазель Кэролайн соблаговолит напоить нас чаем...

— С удовольствием, — ответила моя сестрица. — А ваш... э-э-э... гость не появится?

— Вы слишком добры, — ответил Пуаро. — Но, нет, он сейчас отдыхает. Очень скоро вы с ним познакомитесь.

— Кто-то сказал мне, что это ваш очень старый друг, — сказала Кэролайн в последней отчаянной попытке.

— Правда? — пробормотал сыщик. — Ну что ж, пойдем, пожалуй.

Наша прогулка привела нас к «Фернли». Я уже заранее догадывался, что именно здесь она и должна закончиться. Методы Пуаро становились все яснее. Кажущаяся на первый взгляд абсолютно неважной, любая мелочь могла повлиять на результат расследования.

— У меня есть для вас приглашение, друг мой, — сказал Пуаро наконец. — На сегодня, ко мне домой. Я хочу провести небольшую встречу. Вы, конечно, придете?

— Обязательно, — ответил я.

— Отлично, но мне еще понадобятся те, кто живет в этом поместье, а именно: миссис Экройд, мадемуазель Флора, майор Блант, мистер Реймонд. Я хочу, чтобы вы были моим послом. Этот небольшой сбор назначен на девять часов вечера. Вы же не откажетесь их пригласить?

— С удовольствием. А почему вы не хотите сделать этого сами?

— Потому что они сразу же начнут задавать вопросы: «А зачем? А почему?» Они потребуют рассказать им, что за идея у меня возникла. А я, как вы, друг мой, знаете, очень не люблю раскрывать свои маленькие идеи до срока.

Я улыбнулся.

— Гастингс, мой друг, о котором я много вам рассказывал, иногда называл меня устрицей в человеческом обличье. Но он был несправедлив. Я никогда не скрываю факты, а вот интерпретировать их каждый волен по-своему.

— Когда я должен это сделать?

— Прямо сейчас, если не возражаете. Мы как раз рядом с домом.

— А вы не зайдете?

— Нет, я лучше прогуляюсь по окрестностям и присоединюсь к вам у ворот через пятнадцать минут.

Я кивнул и отправился выполнять свое задание. Единственным членом семьи, который был дома, оказалась миссис Экройд, наслаждавшаяся ранним чаем. Она приняла меня очень благосклонно.

— Я так благодарна вам, доктор, — негромко проговорила женщина, — за то, что вы решили с месье Пуаро эту небольшую проблему. Но в жизни одна проблема сменяет другую... Вы, конечно, уже слышали о Флоре?

— Что именно вы имеете в виду? — осторожно поинтересовался я.

— Об этом новом обручении. Флора и Гектор Блант. Он, конечно, не так подходит ей, как подходил Ральф, но, в конце концов, самое главное — это счастье. Милой Флоре нужен мужчина постарше ее — крепкий и надежный; а потом, Гектор тоже широко известен в определенных кругах. Вы читали об аресте Ральфа в утренних газетах?

— Да, — ответил я, — читал.

— Как это все ужасно. — Вздрогнув, миссис Экройд прикрыла глаза. — Джоффри Реймонд никак не мог с этим смириться. Даже звонил в Ливерпуль. Но в тамошнем полицейском участке ему ничего не ответили. Более того, ему сказали, что никто не арестовывал Ральфа Пейтона. Мистер Реймонд настаивает, что это все ошибка — газетная *canard*[1]. Я запретила обсуждать это в присутствии слуг. Такой позор... Представьте себе, что было бы, если бы Флора вышла за него?

В ужасе миссис Экройд зажмурила глаза. Я начал задумываться, как скоро мне удастся передать приглашение Пуаро.

Прежде чем я успел произнести слово, миссис Экройд опять заговорила:

— Вы же были вчера здесь, не так ли, с этим жутким инспектором Рэгланом? Зверь, а не человек — запугал Флору до такой степени, что бедняжка призналась в том, что взяла деньги в комнате бедного Роджера... А все ведь было гораздо проще. Бедный ребенок, она хотела одолжить несколько фунтов, но не желала беспокоить дядю, потому что он строго-

---
[1] Утка (*фр.*).

настрого приказал не делать этого. Но, зная, где он держит наличность, она пошла туда и взяла сколько ей было нужно.

— Это рассказала сама Флора? — спросил я.

— Мой дорогой доктор, вы же знаете нынешних девушек. Они так легко внушаемы... Вы, конечно, сами все знаете про гипноз и все такое. Инспектор кричит на нее, несколько раз повторят слово «кража», и вот уже у девушки появляется навязчивая идея — или это называется комплекс? — я всегда путаю эти два слова, — и она начинает думать, что сама украла эти деньги. Я сразу все поняла. Но тем не менее я могу быть благодарна этой путанице: именно она соединила этих двоих — я имею в виду Гектора и Флору. А ведь раньше я так часто беспокоилась за дочь... Знаете, однажды я даже испугалась, что между нею и Реймондом могут возникнуть какие-то чувства. Вы только представьте себе! — Миссис Экройд уже почти кричала от всего этого ужаса. — Личный секретарь и почти без средств к существованию!

— Для вас это был бы жестокий удар, — согласился я. — А теперь, миссис Экройд, у меня есть для вас послание от месье Пуаро.

— Для меня? — Миссис Экройд выглядела сильно взволнованной.

Я поторопился успокоить ее и объяснить, чего хочет бельгиец.

— Ну конечно, — с сомнением в голосе сказала миссис Экройд. — Думаю, мы все должны быть, если нас приглашает месье Пуаро. Но в чем там дело? Хотелось бы знать заранее.

Я заверил леди, что знаю об этом не больше, чем она сама.

— Очень хорошо, — наконец неохотно согласилась миссис Экройд. — Я всё всем передам, и мы будем в девять часов.

После этого я удалился и встретился с Пуаро в условленном месте.

— Боюсь, что пробыл там дольше пятнадцати минут, — заметил я. — Но когда эта дама открывает рот, то вставить слово практически невозможно.

— Это неважно, — сказал Пуаро. — Я отлично провел время. Парк просто великолепен.

Мы направились в сторону дома. Когда мы подошли к нему, Кэролайн, которая, видимо, ждала нас, сама распахнула перед нами дверь.

Она поднесла палец к губам. Лицо ее сияло от возбуждения и осознания важности происходящего.

— Урсула Борн. Буфетчица из «Фернли», — сообщила она. — Она здесь! Я посадила ее в столовой. Бедняжка, она в жутком состоянии. Говорит, что должна немедленно увидеть месье Пуаро. Я сделала все, что могла. Напоила ее горячим чаем. Сердце разрывается, когда видишь человека в таком состоянии...

— В гостиной? — переспросил Пуаро.

— Вот сюда, — сказал я, распахивая перед ним дверь.

Урсула Борн сидела за столом. Руки ее лежали перед ней на столе, и было ясно, что она только что оторвала от них голову. Глаза ее были красными от слез.

— Урсула Борн, — пробормотал я.

Пуаро прошел мимо меня с протянутой рукой.

— Нет, — сказал он. — Полагаю, что это не совсем точно. Это не Урсула Борн. Вы, дитя мое, — Урсула Пейтон? Миссис Ральф Пейтон...

Глава 22
ИСТОРИЯ УРСУЛЫ

Несколько мгновений девушка молча смотрела на Пуаро. А потом душевные силы окончательно покинули ее, она кивнула и разразилась рыданиями. Кэролайн прошмыгнула мимо меня, обняла девушку и погладила ее по плечу.

— Ну же, ну, моя дорогая, — ее голос звучал успокаивающе. — Все будет хорошо. Вот увидите — все будет хорошо.

Кэролайн по сути своей добрая женщина, только доброта ее скрыта под слоем любопытства и любви к сплетням. А сейчас на какое-то мгновение страдания девушки отвлекли ее даже от ожидания объяснений Пуаро.

Наконец Урсула выпрямилась и вытерла глаза.

— Как это глупо и бесхарактерно с моей стороны, — сказала она.

— Нет, нет, дитя мое, — возразил Пуаро. — Мы все понимаем, *что* вам пришлось пережить за последнюю неделю.

— Это, должно быть, были кошмарные испытания для вас, — добавил я.

— А потом еще и выяснить, что вы все знаете... — продолжила Урсула. — Откуда? Это Ральф вам сказал?

Пуаро покачал головой.

— Думаю, вы догадываетесь, почему я сегодня здесь, — продолжила девушка. — *Эта...*

В руке у нее был измятый лист газеты, на котором я увидел заметку Пуаро.

— Здесь говорится, что Ральфа арестовали. А это значит, что все оказалось бесполезно. Мне больше ни к чему притворяться.

— Газетные заметки не всегда соответствуют истине, — проворчал Пуаро, догадавшись принять пристыженный вид. — Но тем не менее я предлагаю вам облегчить душу. Сейчас нам больше всего нужна правда.

Видно было, как девушка колеблется, с сомнением глядя на него.

— Вы мне не верите, — сказал Пуаро добрым голосом. — И тем не менее сегодня вы сами пришли ко мне, не так ли? Так почему же?

— Да потому, что я не верю, что это сделал Ральф, — очень тихо произнесла девушка. — И я подумала: вы очень умный и выясните всю правду. И еще...

— Слушаю вас.

— Я подумала, что вы добрый.

Пуаро несколько раз согласно кивнул.

— Очень хорошо, что... да, это очень хорошо. Я тоже искренне верю, что ваш муж не виновен, — но ситуация развивается по очень плохому сценарию. Если вы хотите, чтобы я его спас, то я должен знать абсолютно все — даже если на первый взгляд это будет свидетельством против него.

— Как вы все хорошо понимаете, — сказала Урсула.

— Поэтому сейчас вы расскажете мне всю историю, правильно? Всё, с самого начала.

— Надеюсь, что вы не собираетесь отослать *меня*, — заявила Кэролайн, удобно устраиваясь в крес-

ле. — Больше всего мне интересно, — продолжила
она, — почему это дитя притворяется буфетчицей?

— Притворяется? — не понял я.

— Именно это я и сказала. Зачем вы это делаете,
дитя мое? На спор?

— Для того, чтобы заработать на жизнь, — сухо
ответила Урсула.

И, воодушевленная, она начала свой рассказ, который я передаю своими словами.

Как оказалось, Урсула была из семьи обедневше-
го ирландского дворянина, в которой, помимо нее,
было еще четверо дочерей. После смерти отца девушки оказались вынуждены сами зарабатывать себе
на жизнь. Старшая сестра Урсулы вышла замуж за
капитана Фоллиота. Именно ее я и посетил в воскресенье, и теперь мне стала понятна причина ее
смущения. Настроенная на самостоятельную жизнь
и не желающая служить уборщицей в яслях — а ни
на что другое необученная девушка не могла претен-
довать, — Урсула решила стать буфетчицей. Но она
не хотела, чтобы к ней приклеился ярлык «леди-бу-
фетчица». Она будет настоящей буфетчицей, а рекомендации даст ей ее собственная сестра. В «Фернли», несмотря на ее замкнутость, которая, как мы
видели, вызвала некоторые комментарии, Урсула
была хорошим работником — быстрым, компетент-
ным и аккуратным.

— Мне нравилась эта работа, — объяснила она. —
А еще у меня оставалась масса времени на себя.

А потом состоялась ее встреча с Ральфом Пейтоном, которая после страстного романа закончилась
тайной свадьбой. На это ее подбил Ральф, где-то даже против ее воли. Он заявил, что его отчим и слышать не захочет о его женитьбе на девушке без при-

даного. Поэтому лучше пожениться тайно, а потом, в подходящий момент, рассказать ему об этом.

И вот Урсула Борн превратилась в Урсулу Пейтон. Ральф объявил о том, что собирается расплатиться с долгами, найти работу и встать на ноги. А когда он сможет сам обеспечивать ее и станет независимым от отчима, то вот тогда он все ему и расскажет.

Но для таких людей, как Ральф, начать жизнь с чистого листа гораздо легче на словах, чем на деле. Он надеялся, что его отчим, пока он ничего не знает о свадьбе, согласится заплатить его долги и помочь ему встать на ноги. Но когда Роджер Экройд узнал о сумме этих долгов, то пришел в совершенную ярость и отказался выплатить даже пенни. Однако прошло несколько месяцев, и Ральфа неожиданно пригласили в «Фернли». Роджер Экройд не стал ходить вокруг да около. Он мечтал, чтобы Ральф женился на Флоре, и прямо заявил ему об этом.

И вот здесь-то внутренняя слабость Ральфа дала о себе знать. Как всегда, он ухватился за самое простое и быстрое решение. Насколько я понял, ни Флора, ни Ральф не притворялись, что безумно любят друг друга. С обеих сторон это было деловое соглашение. Роджер Экройд высказал свои предложения, и они с ними согласились. Флора согласилась на это ради свободы, денег и расширения горизонтов, а Ральфу, естественно, было нужно нечто другое. Правда состояла в том, что в тот момент он был в глубокой финансовой яме. И молодой человек ухватился за свой шанс. Его долги будут оплачены, и он сможет начать с чистого листа. Ральф не умел просчитывать жизнь на много ходов вперед, но, думаю, где-то вдали перед ним смутно маячил разрыв помолвки с Флорой, который должен был произойти после приличествующего промежутка времени. Они с Флорой оба решили, что пока такое развитие событий надо держать в секрете. Ральф был готов скрыть это даже от Урсулы. Инстинктивно он чувствовал, что девушка, с ее сильным и твердым характером и с ее врожденным отвращением ко всякого рода обману, не сможет согласиться с подобным планом.

А потом настал критический момент, когда напористый (как всегда) Роджер Экройд решил объявить о помолвке. Он не предупредил об этом Ральфа — только Флору, которой было все равно, и поэтому она не стала возражать. На Урсулу новости произвели эффект разорвавшейся бомбы. По ее вызову Ральф немедленно приехал из города. Они встретились в лесу, где часть их разговора случайно подслушала моя сестрица. Ральф умолял Урсулу ничего никому не говорить еще какое-то время, но та была настроена положить конец всем этим недомолвкам. Она собиралась незамедлительно рассказать все Роджеру Экройду. Расстались муж и жена совсем не как любящие люди.

Урсула, твердо уверенная в своей правоте, постаралась встретиться с Роджером Экройдом в тот же самый день. Их разговор нельзя было назвать безоблачным, но он мог бы быть еще жестче, если б к тому времени Роджер Экройд не был погружен в свои собственные проблемы. Однако закончилось все хуже некуда. Экройд был не тем человеком, который был готов простить мошенничество в отношении себя самого. Гнев его был направлен в основном на Ральфа, но Урсуле тоже досталось, потому что он решил, что она относится к категории охотниц за богатыми наследниками. С обеих сторон было произнесено множество вещей, которые трудно бывает потом простить.

В тот же вечер Урсула встретилась с Ральфом в сарае, как это было договорено заранее. Для этого ей пришлось выскользнуть из боковой двери. Их разговор был полон взаимных обвинений. Ральф поставил Урсуле в вину то, что своей поспешностью она разрушила все его надежды на будущее. Урсула обвинила Ральфа в двуличности. Наконец они расстались. А меньше чем через полчаса пришло известие о том, что обнаружено тело убитого Роджера Экройда. С тех пор Урсула не видела Ральфа и ничего о нем не слышала.

Слушая эту историю, я все больше и больше понимал, что это было за жуткое стечение обстоятельств. Живой, Роджер Экройд немедленно изменил бы свое завещание. Хорошо зная его, я был уверен, что это было бы первое, что пришло бы ему в голову. Смерть Экройда случилась именно тогда, когда она была больше всего необходима Ральфу и Урсуле Пейтон. Неудивительно, что девушка держала язык за зубами и последовательно играла свою роль.

Здесь мои размышления были прерваны голосом Пуаро. По серьезности его интонации я понял, что он тоже полностью осознает всю сложность ситуации.

— Мадемуазель, я хочу задать вам один вопрос и ожидаю от вас правдивого ответа на него, потому что от этого может зависеть абсолютно все. Сколько было времени, когда вы расстались с Ральфом Пейтоном в сарае? Не торопитесь, мне нужен точный ответ.

Девушка издала звук, похожий на горький смех.

— Вы что, думаете, что я мысленно не возвращалась к этому вопросу множество раз? В девять тридцать я вышла, чтобы с ним встретиться. На террасе как раз прогуливался майор Блант, поэтому мне пришлось спрятаться от него за кустами. Думаю, что было около тридцати трех минут десятого, когда я появилась в сарае, где меня уже ждал Ральф. Говорили мы минут десять, не больше, так что в дом я вернулась без четверти десять, не позже.

Теперь я понял настойчивость, с которой она позавчера задавала свой вопрос. Если бы только было доказано, что Экройд был убит до этого времени, а не позже!

По следующему вопросу Пуаро я понял, что он подумал о том же.

— Кто первым вышел из сарая?

— Я.

— А Ральф Пейтон остался в сарае?

— Да... Но вы же не думаете, что...

— Мадемуазель, сейчас неважно, что я думаю. Что вы делали после того, как вернулись в дом?

— Поднялась к себе в комнату.

— И оставались в ней — до какого времени?

— Где-то до десяти.

— Это может кто-нибудь подтвердить?

— Что подтвердить? Что я была в своей комнате? Нет! Но ведь... ах вот в чем дело! Я понимаю! Они... они могут подумать, что это я...

Я увидел, как ее глаза стали заполняться ужасом.

— Что это вы залезли в окно и закололи мистера Экройда, когда он сидел в кресле? — закончил за нее бельгиец. — Да, именно так они и могут подумать.

— Только идиоту может прийти в голову подобная мысль, — подала голос моя сестра и похлопала Урсулу по плечу.

Девушка спрятала лицо в ладонях.

— Ужасно, — прошептала она. — Просто ужасно...

Кэролайн дружески встряхнула ее.

— Не волнуйтесь, моя дорогая. Месье Пуаро так не думает. А что касается вашего мужа, то мне он совсем не нравится, и я вам прямо об этом заявляю. Сбежать и оставить вас все это расхлебывать!..

Но Урсула энергично замотала головой.

— Нет! — воскликнула она. — Все было совсем не так. Если б дело касалось только его, то Ральф не сбежал бы. Теперь я все понимаю — услышав об убийстве своего отчима, он мог решить, что это сделала я.

— Он не мог так подумать, — сказала Кэролайн.

— Я была так жестока с ним в ту ночь — так безжалостна и озлоблена... Я даже не слушала, что он пытался мне сказать — не верила, что действительно дорога ему. Я просто стояла там и говорила ему, *что* я о нем думаю,— говорила самые страшные и жестокие вещи, которые приходили мне на ум, говорила только для того, чтобы побольнее ранить его.

— Это ему не повредило, — заметила моя сестрица. — Никогда не волнуйтесь о том, что говорите мужчине. Они настолько любят себя, что никогда не поверят в то, что не будет им льстить.

Урсула продолжала нервно сжимать и разжимать пальцы.

— Когда обнаружили это убийство, а он не появился, я жутко расстроилась. На какое-то мгновение я даже подумала... но нет, он не может... просто не может. Но я бы так хотела, чтобы он появился и открыто заявил, что не имеет к убийству никакого отношения... Я знаю, как он любил доктора Шеппарда, и все надеялась, что доктор знает, где он прячется. — Девушка повернулась ко мне: — Вот почему я так разговаривала с вами последний раз. Я думала, что если вы знаете, где он прячется, то сможете передать ему весточку.

— Я?! — вырвалось у меня.

— Откуда Джеймсу знать, где он прячется? — подозрительно спросила Кэролайн.

— Я знала, что это маловероятно, — ответила Урсула, — но Ральф часто говорил мне о докторе, и я знаю, что он хотел бы считать его своим лучшим другом в Кингс-Эббот.

— Дитя мое, — сказал я, — у меня нет ни малейшего представления о том, где в настоящий момент может прятаться ваш муж.

— И это правда, — сказал Пуаро.

— Но... — Урсула с непонимающим видом протянула газету с заметкой.

— Ах вот вы о чем! — сказал слегка смущенный Пуаро. — Фикция, мадемуазель. *À rien du tout*[1]. Я ни на секунду даже подумать не мог, что Ральфа Пейтона арестовали.

— Но тогда... — медленно начала девушка.

Детектив быстро прервал ее:

— У меня остался только один вопрос: в ту ночь на капитане Пейтоне были туфли или ботинки?

— Не могу вспомнить, — покачала головой Урсула.

— Очень жаль! Хотя откуда?.. А теперь, мадам, — он улыбнулся ей, склонив голову набок и грозя указательным пальцем, — больше никаких вопросов. И не мучайте себя понапрасну. Держитесь и верьте в Эркюля Пуаро.

---

[1] *Зд.*: пустышка (*фр.*).

Глава 23
НЕБОЛЬШАЯ ВСТРЕЧА У ПУАРО

— А теперь, — сказала Кэролайн, вставая, — это дитя поднимется наверх и приляжет. Не волнуйтесь, милочка, месье Пуаро сделает для вас все, что в его силах. Будьте уверены.

— Мне надо возвращаться в «Фернли», — неуверенно проговорила Урсула.

Но Кэролайн твердой рукой остановила ее протесты.

— Глупости. Пока вы остаетесь в моих руках. И уж точно никуда не пойдете, не так ли, месье Пуаро?

— Это будет наилучшим решением, — согласился маленький бельгиец. — Мадемуазель — прошу прощения, мадам — будет нужна мне сегодня вечером, чтобы поучаствовать в нашей общей встрече. В девять часов в моем доме, мадам. Мне совершенно необходимо, чтобы вы там были.

Кэролайн кивнула и вместе с Урсулой вышла из комнаты. Дверь за ними закрылась. Пуаро опять опустился в кресло.

— Ну вот и хорошо, — сказал он. — Что-то, кажется, начинает вырисовываться.

— И становится все хуже и хуже для Ральфа Пейтона.

Детектив согласно кивнул.

— Да, вы правы. Но этого и следовало ожидать, не так ли?

Я взглянул на него, слегка озадаченный его замечанием. Пуаро сидел, откинувшись на спинку кресла, полуприкрыв глаза и соединив перед собой кончики пальцев. Неожиданно он вздохнул и покачал головой.

— В чем дело? — спросил я.

— Именно в такие мгновения мне больше всего не хватает моего друга Гастингса. Это тот мой друг, о котором я вам рассказывал; сейчас он живет в Аргентине. Он всегда был рядом со мною, когда у меня на руках было сложное дело. И помогал мне, о да, очень часто он мне помогал. Потому что у него, у этого человека, была способность неожиданно натыкаться на правду, при этом сам он этого не понимал, *bien entendu*. Иногда Гастингс произносил что-то особенно глупое, и благодаря этой глупости мне открывалась истина! А потом еще у него была привычка вести запись наиболее интересных расследований.

— Что касается записей... — начал я, смущенно кашлянул и остановился.

Пуаро выпрямился в кресле, и его глаза засверкали.

— Говорите же. Что вы хотели сказать?

— Понимаете, дело в том, что мне приходилось читать некоторые из историй капитана Гастингса... Вот я и подумал, а почему бы мне тоже не попробовать? Жаль было пропустить такую возможность, уникальную возможность — ведь это, вероятно, первый и последний раз, когда я сталкиваюсь с чем-то подобным.

Пока произносил этот спич, я весь взмок, и конец его получился совершенно бессвязным.

Пуаро вскочил — на секунду я был в ужасе от того, что он сейчас обнимет меня в своей французской манере, но, к счастью, он сдержался.

— Но это просто великолепно — вы что, действительно записывали ваши впечатления по ходу дела?

Я утвердительно кивнул.

— *Épatant!*[1] — воскликнул Пуаро. — Дайте мне прочитать их — прямо сейчас.

Я не был готов к такому неожиданному требованию. Когда я писал, мне приходилось сильно напрягаться, чтобы вспомнить некоторые подробности.

— Я думаю, что вы не будете возражать, — запинаясь, произнес я. — Дело в том, что в некоторых местах в тексте довольно много... личного.

— Боже! Я все прекрасно понимаю — вы описываете меня как комического персонажа, а иногда как просто странную личность. Сейчас это совершенно неважно. Гастингс, он тоже не всегда был вежлив. Сам же я выше подобных банальностей.

Не переставая сомневаться, я порылся в ящиках моего стола и вытащил оттуда неаккуратную пачку исписанных листов бумаги, которую и вручил сыщику. Имея в виду возможную публикацию в будущем, я разделил рукопись на главы и как раз накануне вечером дописал главу, в которой рассказал о повторном визите мисс Рассел. Так что у Пуаро в руках было двадцать глав книги.

Я оставил его за чтением.

Мне надо было посетить одного дальнего пациента, поэтому вернулся я уже после восьми. На подносе меня ждали горячий обед и сообщение о том,

---

[1] Отлично! (*фр.*)

что Пуаро с моей сестрой поели в семь тридцать и что сыщик удалился в мою мастерскую, чтобы закончить чтение.

— Надеюсь, Джеймс, — сказала моя сестрица, — что ты хорошо думал, прежде чем писать что-то обо мне...

Челюсть у меня отвалилась — ничего подобного не было и в помине.

— Хотя это и не так важно, — продолжила Кэролайн, правильно поняв выражение моего лица. — Месье Пуаро сам во всем разберется. Он понимает меня гораздо лучше, чем ты.

Я прошел в мастерскую. Пуаро сидел возле окна, а аккуратно сложенный манускрипт лежал рядом с ним на стуле. Когда он заговорил, то положил на него руку.

— *Eh bien*, — сказал он. — Поздравляю вас с вашей скромностью.

— Ах вот как! — сказал я, сбитый с толку.

— И с вашей сдержанностью.

— Ах вот как! — повторил я еще раз.

— Не так писал Гастингс, — продолжил мой друг. — У него на каждой странице слово «я» повторялось бессчетное количество раз. Что он подумал, что он сделал... А вы — вы стараетесь держаться на втором плане. И только дважды нарушили этот принцип — в, я бы сказал, домашних сценах.

Я зарделся под взглядом его поблескивающих глаз и нервно поинтересовался:

— А как вам понравилось само содержание?

— Вы хотите услышать честный ответ?

— Да.

Пуаро перестал балагурить.

— Очень подробное и аккуратное изложение, — одобрительно сказал он. — Вы старательно и точно изложили все факты — хотя были действительно очень сдержанны в том, что касалось вашего собственного участия в деле.

— Ну и помогло вам это?

— Да, можно сказать, что это мне значительно помогло. А теперь нам надо идти ко мне и расставить декорации для нашего небольшого представления.

Кэролайн была в холле. Мне показалось, что она ожидала, когда Пуаро пригласит ее вместе с нами. Но сыщик очень тактично вышел из этой ситуации.

— Я бы очень хотел, мадемуазель, чтобы вы тоже присутствовали, — произнес он с сожалением. — Но в настоящий момент это будет не очень мудрый поступок. Понимаете, все эти люди подозреваемые, и среди них я найду убийцу мистера Экройда.

— И вы действительно в это верите? — недоверчиво спросил я.

— Вижу, что вы — нет, — сухо произнес сыщик. — Вы все еще не можете по достоинству оценить Эркюля Пуаро.

В этот момент сверху спустилась Урсула.

— Вы готовы, дитя мое? — спросил детектив. — Очень хорошо. Теперь мы вместе пройдем в мой дом. Мадемуазель Кэролайн, поверьте мне, я сделаю все, что в моих силах, чтобы не разочаровать вас. Всего доброго.

И мы ушли, оставив Кэролайн в положении собаки, которой отказали в прогулке и которая стоит на пороге и смотрит вслед хозяевам.

Гостиная в «Ларчиз» была уже подготовлена. На столе стояли различные напитки и стаканы. Здесь же была тарелка с бисквитами. Несколько стульев принесли из соседней комнаты.

Пуаро стал передвигать вещи. Он придвинул один стул поближе, изменил положение одной из ламп, поправил лежавший на полу ковер. Особенно много внимания детектив уделил освещению. Лампы были расположены таким образом, что ярко освещали ту часть комнаты, в которой располагались стулья, в то же время противоположная часть комнаты скрывалась в легком полумраке. Я решил, что Пуаро расположится именно в этой части.

Мы с Урсулой наблюдали за его действиями. Наконец послышался звонок.

— Пришли, — сказал Пуаро. — Очень хорошо. Все готово.

Дверь открылась, и в комнату вошли жители «Фернли». Пуаро подошел и поприветствовал миссис Экройд и Флору.

— Как мило с вашей стороны, что вы пришли, — сказал он. — И майор Блант, и мистер Реймонд...

Секретарь, как всегда, лучился от жизнерадостности.

— И в чем же великая тайна? — спросил он со смехом. — Какой-то научный прибор? Вы что, собираетесь связать нам руки проводами и по стуку сердца определить виновного? Ведь такой прибор уже существует, не так ли?

— Да, я читал о таком, — признался детектив. — Но Пуаро — человек старой закалки и использует старые методы. Я пользуюсь только своими серыми клеточками. А теперь давайте начинать. Но прежде я хочу сделать объявление для всех.

Он взял Урсулу за руку и вывел ее на середину комнаты.

— Эта леди — миссис Ральф Пейтон. Она вышла замуж за капитана Пейтона в марте прошлого года.

Миссис Экройд взвизгнула.

— Ральф! Женился... Но это же абсурд! Как такое могло случиться?

Она уставилась на Урсулу, как будто никогда прежде ее не видела.

— Женился на Борн? — продолжила она. — Право, месье Пуаро, я вам не верю!

Урсула покраснела и начала было что-то говорить, но Флора опередила ее.

Быстро подойдя к девушке, она взяла ее под руку.

— Вы не должны сердиться на нас за то, что мы так удивлены, — пояснила она девушке. — Понимаете, нам такая мысль и в голову не приходила. Вы с Ральфом очень хорошо хранили ваш секрет. И я... я очень этому рада.

— Вы очень добры, мисс Экройд, — сказала Урсула тихим голосом, — а ведь вы имеете полное право злиться на меня. Ральф очень плохо себя вел, особенно по отношению к вам.

— Не стоит об этом беспокоиться, — ответила Флора, успокаивающе погладив девушку по руке. — Его загнали в угол, и он выбрал единственный возможный путь. На его месте я бы, наверное, поступила точно так же. Хотя я думаю, что он вполне мог доверить мне этот секрет. Я бы его не подвела.

Пуаро негромко постучал пальцем по столу и со значением прочистил горло.

— Но сейчас начнется заседание совета, — сказала Флора, — и месье Пуаро намекает на то, что нам пора замолчать. Скажите мне только одну вещь: где Ральф? Уж вы-то это должны знать.

— А я не знаю, — почти завыла Урсула. — Именно так. Не знаю...

— А разве его не задержали в Ливерпуле? — спросил Реймонд. — Ведь так написано в газете.

— Он не в Ливерпуле, — коротко ответил Пуаро.

— Дело в том, — заметил я, — что никто так и не знает, где он.

— Кроме Эркюля Пуаро, да? — не отступал Реймонд.

На эту добродушную шутку сыщик ответил неожиданно серьезно:

— Я, Пуаро, знаю всё. Не забывайте об этом.

Джоффри Реймонд поднял брови.

— Всё?! — Он присвистнул. — Не слишком ли сильно сказано?

— Вы что, хотите сказать, что действительно догадываетесь, где может прятаться Ральф Пейтон? — недоверчиво переспросил я.

— Вы называете это догадкой, я же называю это знанием.

— В Кранчестере? — предположил я.

— Нет, — мрачно ответил сыщик, — не в Кранчестере.

Больше он ничего не сказал, и, повинуясь его жесту, все присутствующие заняли свои места. После этого дверь открылась еще раз, и в комнату вошли еще два человека, которые сели у двери. Это были дворецкий и домоправительница.

— Сборы закончены, — произнес Пуаро. — Теперь все на месте.

В его голосе слышалось удовлетворение. И я увидел, что, как только все услышали его, по лицам сидевших в освещенной части комнаты пробежала волна беспокойства. Все это выглядело как ловушка — ловушка, которая уже захлопнулась.

С важным видом Пуаро зачитал список:

— Миссис Экройд, мисс Флора Экройд, майор Блант, мистер Джоффри Реймонд, миссис Ральф Пейтон, Джон Паркер, Элизабет Рассел.

Он положил список на стол.

— И что все это значит? — начал Реймонд.

— Список, который я только что прочитал, — объяснил сыщик, — это список подозреваемых. Все, кто присутствует здесь, имели возможность убить мистера Экройда...

Вскрикнув, миссис Экройд вскочила на ноги. Было видно, как двигается ее кадык.

— Мне все это не нравится, — запричитала она. — Совсем не нравится. Я бы хотела возвратиться домой.

— Вы не можете возвратиться домой, мадам, — упрямо сказал Пуаро, — до того момента, как полностью не выслушаете меня.

Он сделал паузу и прочистил горло.

— Я начну с самого начала. Когда мисс Экройд попросила меня заняться этим делом, я, вместе с добрым доктором Шеппардом, направился в «Фернли». Вместе с ним мы прошлись по террасе, где мне показали следы на подоконнике. Оттуда инспектор Рэглан провел меня по тропинке, которая ведет к подъездной аллее. Я обратил внимание на небольшой сарай и позже тщательно его осмотрел. Там я нашел две вещи: лоскут накрахмаленного батиста и гусиное перышко. Батист сразу же напомнил мне о фартуке горничной, и когда инспектор Рэглан показал мне свой список живущих в доме, я немедленно заметил, что одна из горничных — буфетчица Урсула Борн — не имеет никакого алиби. По ее собственному рассказу, с половины десятого и до десяти она находилась у себя в комнате. А что, если вместо этого она была в сарае? Если так, то Урсула Борн должна была там с кем-то встречаться. А к тому времени я уже знал от доктора Шеппарда, что какой-то незнакомец, которого он встретил у ворот, *приходил в* тот вечер к дому. На первый взгляд проблема была решена — этот незнакомец приходил к сараю, чтобы встретиться с Урсулой Борн. То, что он *был* в сарае, доказывало наличие гусиного перышка. Я тут же подумал о наркомане, причем таком, который приобрел эту пагубную привычку по другую сторону океана — там нюхание «снежка» гораздо более распространено, чем в этой стране. У мужчины, которого встретил доктор, был американский акцент, и это только подтвердило мое предположение.

Но одно меня смущало. *Время ни за что не хотело совпадать.* Урсула Борн никак не могла оказаться в сарае до половины десятого, а мужчина должен был появиться там вскоре после девяти. Конечно, можно было предположить, что он ждал ее полчаса. Альтернативой этому было то, что в тот вечер в сарае произошли две встречи. *Eh bien*, как только я об этом подумал, я обнаружил несколько важных фактов. Я обнаружил, что мисс Рассел, домоправительница, утром того дня была у доктора Шеппарда и очень интересовалась вопросами лечения наркоманов. Связав это с гусиным перышком, я решил, что незнакомец приходил в «Фернли» на встречу с мисс Рассел, а не с Урсулой Борн. Тогда с кем же встречалась Урсула Борн? Я недолго мучился. Сначала я нашел кольцо — обручальное, с гравировкой «от Р.» и датой. Потом я узнал, что Ральфа Пейтона видели идущим по тропинке в сторону сарая в двадцать пять минут десятого, и о некоем разговоре, который произошел в лесу рядом с деревней как раз в тот день. В разговоре принимали участие Ральф Пейтон и неизвестная девушка. И вот теперь все мои факты аккуратно следовали друг за другом, подчиняясь определенной логике. Тайная свадьба, оглашение помолвки в день трагедии, напряженный разговор в лесу и встреча, состоявшаяся в сарае тем же вечером.

Все это указывало только на одно: и у Ральфа Пейтона, и у Урсулы Борн — или Пейтон — были самые серьезные мотивы желать скорейшей смерти мистера Экройда. Кроме того, из всего этого абсолютно ясно следовало, что Ральф Пейтон не мог быть в кабинете мистера Экройда в половине десятого.

Таким образом, мы подошли к следующему и наиболее интересному аспекту этого преступления: кто же был в кабинете мистера Экройда в девять тридцать? Не Ральф Пейтон, который был в сарае со своей женой. Не Чарльз Кент, который к тому времени уже ушел. Кто же тогда? И вот тогда я задал себе свой самый умный и самый дерзкий вопрос: а был ли там кто-то вообще?

Пуаро подался вперед и с триумфом бросил нам эту последнюю фразу, после чего опять откинулся на спинку кресла с видом человека, который только что нанес решающий удар.

Однако на Реймонда это не произвело никакого впечатления, и он даже позволил себе запротестовать:

— Не знаю, пытаетесь ли вы, месье Пуаро, выставить меня лжецом, но ведь это не только мои показания — за исключением, может быть, точных слов, которые были произнесены. Если вы помните, майор Блант тоже слышал, как кто-то в это время разговаривал с мистером Экройдом. На террасе он не мог четко расслышать слова, но голоса-то слышал совершенно ясно!

Пуаро согласно кивнул.

— Я это не забыл, — негромко сказал он. — Но у майора Бланта создалось впечатление, что мистер Экройд разговаривал лично с вами.

На минуту Реймонд потерял дар речи, но потом взял себя в руки.

— Теперь Блант признает, что ошибался, — сказал он.

— Именно так, — согласился майор.

— Однако у него ведь должна была быть какая-то причина так думать, — задумчиво размышлял Пуаро. — Нет, нет! — сделал он протестующий жест рукой. — Я знаю, что вы мне скажете, — но этого недостаточно! Должно быть еще что-то. Я так скажу: с самого начала расследования меня поразила одна вещь — особенность тех слов, которые услышал мистер Реймонд. Я очень удивился, что никто не обратил на это внимания, не заметил никакой странности.

Он немного помолчал, а потом процитировал мягким голосом:

— *...посягательства на мой кошелек в последнее время носили регулярный характер, поэтому боюсь, что я не смогу удовлетворить ваше требование...* Вас ничего в этом не удивляет?

— Да вроде нет, — ответил Реймонд. — Он часто диктовал мне письма, используя эти же слова.

— Вот именно! — воскликнул Пуаро. — Именно к этому я и хочу вас подвести. Разве нормальный человек произнесет такую фразу в беседе с кем-то? Ведь это же не может быть частью простого разговора. А вот если бы он диктовал письмо...

— Вы хотите сказать, что он вслух читал письмо? — медленно произнес Реймонд. — Но даже в этом случае у него должен был быть какой-то слушатель.

— Почему? У нас нет никаких доказательств, что в комнате был еще кто-то. Не забудьтс, слышен был только голос мистера Экройда.

— Но ведь не будет же человек вслух читать себе подобные письма? Если, конечно, он... не тронулся.

— Вы все забыли об одной вещи, — мягко произнес сыщик, — о незнакомце, который был в доме в среду, на той неделе.

Все уставились на него.

— Ну конечно, — ободряюще покивал Пуаро. — В среду. Сам молодой человек для нас совсем неважен. А вот фирма, которую он представлял, сильно меня заинтересовала.

— Компания по выпуску диктофонов, — чуть не задохнулся секретарь. — Теперь я понял. Диктофон — вы именно об этом подумали?

Пуаро кивнул.

— Как вы помните, мистер Экройд собирался приобрести диктофон. И я, Пуаро, решил задать этой компании вопрос. И они ответили, что мистер Экройд действительно приобрел диктофон у их представителя. Почему он решил скрыть это от вас — не знаю.

— Он, скорее всего, хотел сделать мне сюрприз, — прошептал Реймонд. — Он был похож на ребенка в своем желании удивлять других людей. Хотел попридержать его у себя пару дней. Возможно, даже играл с ним, как ребенок с новой игрушкой... Да, похоже на то. Вы абсолютно правы, никто не будет употреблять такие слова в обычном разговоре.

— Это также объясняет, — заметил Пуаро, — почему майор Блант решил, что в кабинете были именно вы. То, что он услышал, напомнило ему диктовку письма, и подсознательно он решил, что это были вы. А его сознание было занято совсем другим — фигурой в белом, которую он случайно заметил. Ему показалось, что это была мисс Экройд, хотя в действительности он заметил белый фартук Урсулы Борн, которая в тот момент пробиралась к сараю.

К этому моменту Реймонд успел прийти в себя от первого шока.

— И все равно, — не сдавался он, — это ваше открытие, каким бы гениальным оно ни было само по себе — уверяю вас, я бы до такого никогда не додумался! — мало что меняет в глобальном смысле. В половине десятого мистер Экройд был жив, потому что в это время он надиктовывал текст на диктофон. Ясно также, что к этому времени Чарльза Кента уже не было на территории поместья. А вот Ральф Пейтон...

Заколебавшись, он повернулся к Урсуле.

Она сильно покраснела, но твердо выдержала его взгляд.

— Мы с Ральфом расстались около без четверти десять. Он даже близко не подходил к дому, я в этом абсолютно уверена. Ральф и не собирался этого делать — больше всего на свете он не хотел встречи с отчимом. Он его здорово боялся.

— Поверьте, я ни на секунду не сомневаюсь в правдивости ваших слов, — пояснил Реймонд. — Я всегда верил в невиновность капитана Пейтона. Но нам приходится думать о суде присяжных и о тех вопросах, которые они могут задать. Он, конечно, в очень сложной ситуации, но если б он вышел из своего укрытия...

Пуаро прервал молодого человека:

— Как я понимаю, вы это советуете? Что он должен покинуть укрытие?

— Ну конечно. Если вы знаете, где он прячется...

— Мне кажется, вы не верите в то, что я это знаю. А ведь только что я сказал вам, что знаю все. Все — и о телефонном звонке, и о следах на подоконнике, и о том, где прячется Ральф Пейтон...

— И где же он? — резко спросил майор Блант.

— Не так далеко, — улыбнулся бельгиец.

— В Кранчестере? — уточнил я.

Сыщик повернулся ко мне.

— Вы постоянно спрашиваете меня об этом. Кранчестер стал вашей *idee fixe*[1]. Нет, он не в Кранчестере — он... здесь!

И бельгиец сделал драматический жест рукой. Все головы повернулись.

В дверях стоял Ральф Пейтон.

---

[1] Навязчивая идея (*фр.*).

Для меня это был очень неприятный момент. Я с трудом смог понять, что произошло дальше, — но комната наполнилась криками и возгласами удивления. Когда я пришел в себя настолько, чтобы понимать, что же происходит вокруг, то увидел Ральфа Пейтона, держащего свою жену за руку и широко улыбающегося мне через комнату.

Пуаро тоже улыбался и в то же время красноречиво грозил мне пальцем.

— Разве я не говорил вам по крайней мере раз тридцать шесть — бесполезно пытаться что-то скрыть от Эркюля Пуаро? — требовательно спросил он. — Что в любом случае он докопается до истины? — И повернулся к остальным: — Вы помните, что однажды у нас с вами был небольшой сеанс за столом? Там нас было шесть человек. И я обвинил пятерых в том, что все они что-то скрывают от меня. Четверо из них выдали свои секреты. А вот доктор Шеппард — нет. Но у меня все равно сохранялись подозрения. В ту ночь доктор Шеппард ходил в «Три кабана» в надежде найти Ральфа Пейтона. Там он его не нашел, но ведь он мог встретить его по дороге домой? Доктор Шеппард был другом капитана Пейтона, который, по его мнению, возвращался прямо с места преступления. Он понимал, насколько серьезно все складывается для Пейтона. Может быть, он знал даже больше, чем остальная публика...

— Именно так, — сказал я уныло. — Думаю, что мне тоже пора облегчить душу. Во второй половине того дня я встретился с Ральфом Пейтоном. Сначала он отказался говорить со мной, но потом рассказал мне о своей женитьбе и о том, в какую финансовую яму попал. Как только убийство было обнаружено, я сразу понял, что, едва эти факты станут известны, подозрение непременно падет на Ральфа, а если и не на него, то на женщину, которую он любит. В ту ночь я выложил ему все это на блюдечке. Мысль о том, что он может дать показания, которые могут опорочить его жену, заставила его решиться любой ценой...

Я замолчал, а Ральф заполнил паузу.

— Исчезнуть, — очень живо произнес он. — Понимаете, Урсула рассталась со мной и вернулась в дом. Я подумал, что она могла попытаться еще раз переговорить с моим отчимом. Он уже был очень груб с нею днем. Мне пришло в голову, что он мог настолько обидеть ее — и в такой непростительной форме, — что, сама не понимая, что она делает...

Он остановился. Урсула вырвала свою руку из его и отступила на шаг.

— Ты это подумал, Ральф! Ты действительно подумал, что я могла совершить такое?!

— Давайте вернемся к заслуживающему всяческого порицания поведению доктора Шеппарда, — сухо предложил Пуаро. — Он согласился сделать все, чтобы помочь молодому человеку. Ему удалось надежно спрятать его от полиции.

— Где? — спросил Реймонд. — У себя в доме?

— Конечно, нет, — сказал сыщик. — А вы задайте себе тот же самый вопрос, который я задал себе. Если хорошему доктору надо надежно спрятать молодого человека, куда он пойдет? Место должно быть где-то неподалеку. Я подумал о Кранчестере. Гостиница? Нет. Пансионат? Тысячу раз нет. Тогда где же? А! Понял. Клиника для душевнобольных. Я проверил свою теорию. Для этого мне пришлось придумать племянника с душевным заболеванием. Я проконсультировался с мадемуазель Шеппард относительно подобных завседений, расположенных в округе. Она дала мне адреса двух недалеко от Кранчестера, куда ее брат обычно направлял своих пациентов. Я навел справки. Действительно, в одно из них сам доктор привез пациента рано утром в субботу. И в этом пациенте, который находился там под вымышленным именем, я без труда узнал капитана Ральфа Пейтона. После нескольких необходимых формальностей мне позволили забрать его. И вот вчера рано утром он появился в моем доме.

Я уныло взглянул на бельгийца и пробормотал себе под нос:

— Эксперт Кэролайн из Хоум-офис... А я и не догадывался!

— Теперь вы понимаете, почему я заговорил о сдержанности вашей рукописи, — негромко сказал Пуаро, обращаясь ко мне. — Все выглядело очень правдоподобно, пока продолжалось, но продолжалось это не слишком долго, а?

Я был слишком сконфужен, чтобы спорить.

— Доктор Шеппард вел себя как настоящий друг, — заметил Ральф. — Он не оставил меня в тяжелой ситуации и делал то, что, по его мнению, было наилучшим для меня. Теперь месье Пуаро объяснил мне, что на самом деле это не было лучшим. Мне надо было выйти вперед и ответить за все. Но в клинике нам не давали газет, и поэтому я ничего не знал о том, что происходит.

— Доктор Шеппард — образец скрытности, — сухо заметил детектив. — Но я, Пуаро, раскрыл все эти маленькие секреты. Это моя профессия.

— А теперь расскажите же нам, что произошло с вами в ту ночь? — попросил Реймонд с нетерпением.

— Да вы практически все уже знаете, — ответил Ральф. — Мне мало что осталось рассказать. Я вышел из сарая где-то в девять сорок пять и долго бродил по тропинкам, пытаясь решить, что мне делать дальше и какой выбрать путь. Должен признать, что у меня нет и намека на алиби, но я торжественно клянусь вам, что не заходил в кабинет и вообще не видел в тот день своего отчима — ни живым, ни мертвым. И что бы ни думали остальные, я хотел бы, чтобы вы мне поверили.

— Нет алиби, — повторил Реймонд. — Плохо. Я-то вам, конечно, верю, но вообще ваши дела плохи.

— Хотя все становится проще, — произнес Пуаро веселым голосом. — Гораздо проще.

Мы все уставились на него.

— Вы что, не понимаете о чем я? Правда? А ведь все очень просто — чтобы спасти капитана Пейтона, настоящий убийца должен признаться.

И он одарил нас всех радостной улыбкой.

— Да, вы не ослышались. Вы же видите, я не стал приглашать сюда инспектора Рэглана. На то есть особая причина. Я не хотел рассказывать ему все, что знаю, — по крайней мере, не сегодня.

Бельгиец подался вперед, и внезапно его тон и внешний вид полностью изменились. Неожиданно он стал опасен.

— Я, который с вами сейчас говорит, — я знаю, что убийца Роджера Экройда находится в этой комнате. И я обращаюсь прямо к нему: *Завтра я сообщу всю правду инспектору Рэглану.* Вы меня понимаете?

Наступила напряженная пауза. Ее прервала старая бретонка, которая вошла с телеграммой на серебряном подносе. Пуаро вскрыл ее.

Резкий голос майора Бланта заполнил комнату:

— Вы говорите, что убийца среди нас? И что, вы знаете, кто это?

Пуаро прочитал телеграмму и смял ее в руке.

— Теперь — знаю.

И он погладил смятый комок бумаги.

— А это что? — резко спросил Реймонд.

— Телеграмма. С борта теплохода, который плывет в сторону Соединенных Штатов.

В мертвой тишине, которая повисла в комнате, Пуаро встал и поклонился.

— *Messieurs et Mesdames* [1], эта моя встреча с вами закончена. Запомните — *завтра утром инспектор Рэглан узнает всю правду.*

---

[1] Дамы и господа (*фр.*).

Глава 25
ВСЯ ПРАВДА...

Незаметным жестом Пуаро предложил мне задержаться. Я повиновался и, подойдя к камину, стал задумчиво переворачивать крупные поленья носком ботинка.

Я был озадачен. Впервые я совершенно не мог понять, чего добивается Пуаро. В какой-то момент мне показалось, что сцена, которую я только что наблюдал, была просто напыщенным действом, во время которого детектив, как он это сам называл, «ломал комедию», стараясь придать себе побольше значимости. Однако, вопреки своим ощущениям, я был вынужден поверить в реальность происходящего, за которой что-то скрывалось.

В его словах действительно звучали угроза и определенная неоспоримая уверенность.

Когда дверь закрылась за последним из гостей, сыщик тоже подошел к огню.

— Ну что ж, друг мой, — негромко проговорил он, — что вы обо всем этом думаете?

— Не знаю, что и думать, — честно ответил я. — В чем был смысл всего этого? Почему нельзя было отправиться прямо к инспектору Рэглану и не рассказать ему всю правду, вместо того чтобы предупреждать преступника таким изысканным способом?

Пуаро сел, вытащил портсигар со своими крохотными русскими папиросками и какое-то время курил в полном молчании.

— А вы попробуйте пошевелить вашими серыми клеточками, — произнес он наконец. — Ведь я ничего не делаю без причины.

Несколько мгновений я колебался, а потом медленно произнес:

— Первое, что мне пришло в голову, — это то, что вы сами не знаете имени убийцы, но уверены в том, что он один из тех людей, которые были здесь сегодня вечером. Поэтому вы решили просто вырвать у преступника его признание.

Пуаро одобрительно кивнул.

— Неплохая идея, но не соответствует действительности.

— Потом я подумал, что, заставив его поверить в то, что вы все знаете, вы хотите вывести его на чистую воду и, может быть, заставить как-то проявить себя, причем необязательно сделав признание. Он ведь может попытаться заставить вас замолчать, как заставил замолчать мистера Экройда, — прежде чем вы выполните свою угрозу завтра утром.

— Ловушка, в которой я сам выступаю в качестве приманки! *Merci, mon ami*[1], но для этого я недостаточно храбр.

— Тогда я отказываюсь вас понимать. Ведь, предупредив таким образом преступника, вы рискуете, что он просто исчезнет.

Пуаро покачал головой и мрачно произнес:

— Он не может исчезнуть. У него есть только один путь, и этот путь не ведет к свободе.

---

[1] Спасибо, друг мой (*фр.*).

— И вы действительно верите, что один из людей, которые были здесь сегодня вечером, совершил убийство? — спросил я с недоверием.

— Да, мой друг.

— И кто же это?

На несколько минут в комнате повисла тишина. Потом Пуаро бросил окурок в камин и заговорил негромким, задумчивым голосом:

— Я проведу вас той же дорогой, по которой прошел сам. Вы будете следовать за мною шаг за шагом и увидите, что все факты однозначно указывают только на одного человека. Так вот, начнем с того, что мое внимание привлекли два факта и некоторое временно́е несоответствие. Первый факт — это телефонный звонок. Если Ральф Пейтон действительно убийца, телефонный звонок становится бессмысленным и абсурдным. Поэтому я сказал сам себе — Ральф не убийца.

Для себя я решил, что звонок не мог быть сделан никем из живущих в доме, и в то же время был твердо уверен, что убийство совершил кто-то из присутствовавших тем вечером в «Фернли» и что только среди них я должен искать убийцу. Поэтому я решил, что звонить должен был сообщник преступника. Подобный вывод мне не очень понравился, но я оставил его до поры до времени.

Потом я попытался проанализировать *мотивы* для этого звонка. Это было сложно, потому что догадаться о них я мог только по *результату*. А результат был следующий — убийство было обнаружено в ту же ночь вместо следующего утра, что, вероятно, и случилось бы, не будь этого звонка. С этим вы согласны?

— Д-а-а-а, — согласился я. — Конечно. Все так. После того как мистер Экройд дал указание его не беспокоить, маловероятно, чтобы в кабинет кто-нибудь вошел.

— *Très bien*[1]. Кое-что начинает проясняться, не так ли? Но ответ все еще покрыт мраком неизвестности. Какой смысл в том, чтобы убийство было обнаружено в тот же вечер, а не на следующее утро? Единственное, что пришло мне в голову, — это то, что убийца, зная, когда будет обнаружено убийство, мог оказаться на месте преступления как раз в тот момент, когда будут взламывать дверь. Или на худой момент сразу же после этого. Теперь мы переходим ко второму факту — к отодвинутому от стены креслу. Инспектор Рэглан не обратил на это никакого внимания. Я, напротив, считал, что это очень важный момент.

В вашем манускрипте вы нарисовали очень аккуратный план кабинета. Если он есть у вас с собою, то вы увидите, что — если поставить его на то место, которое указал Паркер, — кресло оказывается на прямой линии между окном и дверью.

— Окном! — быстро повторил я.

— Вижу, что вы подумали о том же, о чем и я. Я решил, что кресло было выдвинуто на это место, чтобы скрыть что-то связанное с окном. Но вскоре отказался от этой идеи, потому что кресло, хотя и большое, дедовское, с высокой спинкой, почти не закрывало окна. Только ту часть, что находилась между полом и оконной рамой. А теперь вспомните, *mon ami*, что прямо перед окном стоял столик с книгами и журналами. Отодвинутое же кресло полностью его скрывало. Вот тогда-то я и почувствовал, что стою на верном пути.

Давайте представим, что на столике лежало что-то, что не предназначалось для посторонних глаз.

---

[1] Очень хорошо (*фр.*).

Что-то, что поставил туда убийца. И тем не менее у меня не было никаких идей по поводу того, что же это могло быть. Но кое-что я об этом предмете уже знал. Например, то, что убийца не смог захватить его с собой сразу после того, как совершил убийство. В то же время для него было жизненно важно убрать этот предмет как можно скорее после того, как труп обнаружат. Итак: телефонный звонок и возможность для убийцы оказаться на месте преступления в тот момент, когда тело будет обнаружено.

До прибытия полиции на месте преступления побывали четыре человека: вы, Паркер, майор Блант и мистер Реймонд. Паркера я сразу же исключил — при любом раскладе он вошел бы в кабинет одним из первых. Кроме того, именно Паркер рассказал мне о выдвинутом кресле. Таким образом, к убийству дворецкий отношения не имел (но я все еще считал, что он мог шантажировать миссис Феррарс). Реймонд и Блант оставались под подозрением, потому что, если б тело было найдено ранним утром, то они вполне могли бы появиться слишком поздно для того, чтобы убрать объект с маленького столика.

Так что же это могло быть? Вы слышали, что я говорил сегодня по поводу обрывка разговора, который услышал Реймонд? Как только я услышал о посещении «Фернли» представителем диктофонной компании, мысль об этой машине уже не покидала меня. Вы слышали, что я сказал здесь менее чем полчаса назад? Они все согласились с моей теорией, но ни один из них не обратил внимания на один очень важный момент: если в тот вечер мистер Экройд пользовался диктофоном, то почему его не обнаружили в кабинете?

— Мне это в голову не пришло, — признался я.

— Мы знаем, что мистер Экройд приобрел диктофон, но аппарат не нашли среди его вещей. Так что, если что-то было убрано со стола, то почему это не мог быть диктофон? Для того чтобы это сделать, надо было преодолеть некоторые трудности. Конечно, всеобщее внимание было приковано к мертвому телу. Думаю, что любой мог незаметно подойти к столику. Но диктофон — вещь не маленькая, его нельзя просто опустить в карман[1]. Должна быть какая-то емкость, в которую его можно было бы поместить.

Вы видите, к чему я веду? Фигура убийцы приобретает очертания. Человек, который немедленно оказался на месте преступления, но которого там могло и не быть, если бы преступление было обнаружено на следующее утро. Человек, у которого в руках была определенная емкость, в которую мог бы поместиться диктофон...

Тут я прервал бельгийца:

— А зачем надо было убирать диктофон? Какой в этом смысл?

— Вы прямо как мистер Реймонд. Вы свято верите в то, что слова, которые были услышаны в полдесятого, были словами, которые мистер Экройд наговаривал на диктофон. Но задумайтесь на минуту над этим удобным прибором. Вы ведь можете на него что-то надиктовать? А позже секретарь или машинистка включает его — и опять слышит ваш голос...

— Вы хотите сказать... — У меня перехватило дыхание.

Пуаро утвердительно кивнул.

---

[1] В те времена диктофоны имели значительные размеры и вес.

— Именно это я и хочу сказать. *В полдесятого ми-стер Экройд был уже мертв.* Говорил диктофон — а не человек.

— Но включил его убийца. Значит, он в эту мину-ту должен был быть в кабинете.

— Возможно. Но не стоит исключать возмож-ность того, что было использовано какое-то меха-ническое приспособление, что-то вроде таймера или простого будильника. Правда, в этом случае мы должны добавить еще два штриха к портрету нашего воображаемого убийцы: это должен быть кто-то, кто знал о том, что убитый купил диктофон, и это должен быть человек, имеющий определенные технические навыки.

До всего этого я дошел своим умом, но потом мне надо было решить вопрос со следами, которые име-лись на подоконнике. У меня было три возможных варианта. Первый: это действительно были следы Ральфа Пейтона. Он мог быть в «Фернли», залезть через окно в кабинет и обнаружить своего отчима мертвым. Это первая гипотеза. Второй вариант: су-ществовала вероятность, что следы оставлены кем-то, у кого туфли были с такими же подошвами, как у Пейтона. Но у жителей дома туфли с подошвами, сделанными из натурального каучука, и я не верю в то, что по чистой случайности у кого-то со сторо-ны могли оказаться такие же туфли, как у капитана. Как мы помним из рассказа официантки в «Собаке и свистке», ботинки Чарльза Кента «буквально сва-ливались у него с ног». Третий вариант: эти следы были оставлены намеренно, чтобы бросить тень на Ральфа Пейтона. Чтобы подтвердить последнюю те-орию, мне надо было проверить некоторые факты. Одну пару туфель Пейтона забрала из «Дикого каба-на» полиция. Они были абсолютно чистыми, потому что в тот вечер их не носил ни Ральф, ни кто-нибудь еще. По мнению полиции, Ральф в тот вечер носил вторую пару точно таких же туфель. Действительно, как я выяснил, у него их было две пары. Если моя теория правильна, то в тот вечер убийце надо было носить вторую пару Ральфа, а самому Ральфу — третью *похожую* пару! Я с трудом мог поверить, что он привез с собой три пары абсолютно одинаковых туфель — скорее всего, его третья пара была ботинками. Я попросил вашу сестру провести небольшое расследование по этому поводу, сделав упор на цвет обуви для того — и я это открыто признаю, — чтобы скрыть истинную причину моей заинтересованности.

Вы знаете результат ее изысканий. С собою у Ральфа Пейтона была пара ботинок. Первый вопрос, который я ему задал вчера утром, когда он появился у меня в доме, был вопрос, какая обувь была на нем в ту трагическую ночь. Он немедленно ответил, что ботинки — он все еще был в них, потому что сменить их ему было не на что.

Так мы сделали еще один шаг в направлении нашего убийцы — человека, который имел возможность взять в тот день туфли из комнаты капитана в «Трех кабанах».

Пуаро помолчал, а потом сказал, слегка повысив голос:

— И еще одно — убийцей должен быть человек, у которого была возможность похитить из витрины кинжал. Мне могут возразить, что это легко мог сделать любой из живущих в доме, но я напомню вам, что Флора Экройд была абсолютно уверена, что кинжала уже не было в тот момент, когда она рассматривала витрину.

Опять наступила пауза.

— А теперь давайте подведем итог, когда нам все стало ясно. Человек, который в тот день был в «Трех кабанах». Человек, который знал Экройда настолько хорошо, что тот рассказал ему о покупке диктофона. Человек с жилкой изобретателя, у которого была возможность вытащить кинжал из витрины до того, как в комнате появилась Флора. Человек у которого была с собой емкость достаточная, чтобы спрятать в ней диктофон — например, черный саквояж, — и который находился в кабинете один, пока Паркер звонил по телефону в полицию. То есть — *доктор Шеппард*!

На пару минут в комнате повисла мертвая тишина, а потом я расхохотался и сказал:

— Вы сошли с ума.

— Нет, — безмятежно ответил Пуаро. — Я не сумасшедший. Мое внимание к вам — еще в самом начале — привлекло некоторое временно́е несоответствие.

— Временно́е несоответствие? — переспросил я, слегка озадаченный.

— Ну конечно. Вы же помните, что все — и вы в том числе — согласились, что от сторожки до дома можно дойти за пять минут или даже быстрее, если вы срежете путь к террасе. Вы вышли из дома без десяти девять — и это подтвердили и вы сами, и Паркер, — однако незнакомца у въездных ворот встретили только в девять часов. Ночь была довольно прохладная — в такую ночь не будешь наслаждаться неторопливой прогулкой; тогда почему вам понадобилось десять минут на пятиминутную прогулку? Все время я помнил, что у нас были только ваши показания относительно того, что окно в кабинет было заперто. Экройд попросил закрыть его, но он не стал это проверять. А что, если окно в кабинет осталось открытым? Хватило бы вам времени за эти десять минут обежать дом кругом, поменять обувь, забраться в окно, убить Экройда и быть около ворот в девять часов? Я решил, что нет, потому что, скорее всего, очень нервничавший в ту ночь Экройд услышал бы, как вы забираетесь в окно, и оказал бы вам сопротивление. А если предположить, что вы убили Экройда *до своего ухода*, тогда, когда стояли рядом с его креслом? В этом случае вы вышли через переднюю дверь, добежали до сарая, взяли туфли Ральфа Пейтона из сумки, которую принесли с собою, забрались в кабинет, закрыли дверь изнутри, вернулись в сарай, надели свою обувь и бросились к воротам. (Я проделал все это вчера, когда вы общались с миссис Экройд, на что у меня ушло ровно десять минут.) А потом домой — и вот вам железное алиби: ведь диктофон вы поставили на 9.30.

— Мой дорогой Пуаро, — мой голос показался мне странным и слишком напряженным, — вы слишком долго занимаетесь этим случаем. Что, ради всего святого, давала мне смерть Экройда?

— Гарантию безопасности. Ведь это вы шантажировали миссис Феррарс. Кто лучше лечащего врача мог знать причину смерти мистера Феррарса? Когда вы говорили со мною в саду в тот первый день, вы упомянули наследство, которое якобы получили около года назад. Я не смог найти никаких следов этого завещания. Вам просто надо было каким-то образом объяснить появление двадцати тысяч, заплаченных вам миссис Феррарс. Бо́льшую часть из них вы истратили на различные спекуляции — а потом перегнули палку, и миссис Феррарс избавилась от вас совершенно неожиданным образом. Если б мистер Экройд узнал правду, он был бы совершенно беспощаден — и уничтожил бы вас раз и навсегда.

— А как же телефонный звонок? — спросил я, стараясь взять себя в руки. — Наверняка у вас и для него есть правдоподобное объяснение.

— Признаюсь вам, что это было самым сложным для меня барьером, когда я узнал, что звонили вам именно со станции Кингс-Эббот. Сначала я подумал, что вы просто выдумали эту историю. Сама по себе идея была почти гениальна. Вам ведь надо было придумать объяснение своему появлению в «Фернли» перед тем, как было обнаружено тело, для того чтобы получить возможность убрать диктофон, от которого зависело ваше алиби. Я с трудом понимал, как это можно было сделать, когда пришел к вашей сестре в тот первый день, и спросил ее о пациентах, которые были у вас в пятницу. В тот момент я даже и не думал о мисс Рассел. То, что она тоже посетила вас, было удачным совпадением, так как это отвлекло вас от истинного смысла моих вопросов. И я нашел то, что искал. Среди ваших пациентов в то утро был стюард с американского лайнера. Кто, кроме него, мог уезжать на поезде в Ливерпуль в тот вечер? А потом он уже будет в море и далеко от всего происходящего. Я заметил, что «Орион» отплыл в субботу, и, выяснив имя стюарда, послал ему телеграмму с всего одним вопросом. Вы видели, как я только что получил его ответ. — Он протянул мне телеграмму следующего содержания:

Совершенно верно. Доктор Шеппард попросил меня оставить записку в доме одного пациента и позвонить ему по поводу ответа с железнодорожной станции. Содержание звонка было следующим: «Ответа не будет».

— Здорово придумано, — заметил Пуаро. — И звонок был абсолютно реальный. Ваша сестра видела, как вы на него ответили. Но то, о чем вы говорили, подтверждалось словами только одного человека — вашими собственными!

Зевнув, я произнес:

— Все это чрезвычайно интересно, но вряд ли может быть отнесено к реальным событиям.

— Вы думаете, нет? Не забывайте, что я сказал сегодня вечером — завтра утром инспектор Рэглан узнает всю правду. Но, ради вашей доброй сестры, я готов дать вам шанс на другой выход. Вы меня понимаете? С капитана Пейтона должны быть сняты все подозрения — *ça va sans dire* [1]. Я предлагаю вам закончить вашу чрезвычайно интересную рукопись — но, прошу вас, не будьте в ней так сдержанны относительно вашего собственного участия в этом деле.

— Да вы просто фонтанируете разными предложениями, — заметил я. — Вы уверены, что закончили?

— Сейчас, когда вы об этом заговорили, я вспомнил, что есть еще кое-что. С вашей стороны будет крайне неумно попытаться заставить меня замолчать так, как вы это уже проделали с месье Экройдом. Такие вещи с Эркюлем Пуаро не проходят, вы меня понимаете?

— Мой дорогой Пуаро, — сказал я, слегка улыбнувшись. — Я могу быть кем угодно, но я далеко не дурак. — Я встал и сказал, подавив зевок: — Ну что же, мне пора домой. Благодарю вас за этот очень познавательный и интересный вечер.

Пуаро тоже встал и поклонился мне с его обычной вежливостью, когда я выходил из комнаты.

---

[1] Само собой разумеется (*фр.*).

Глава 27
АПОЛОГИЯ[1]

Пять утра, и я очень устал, но задачу свою выполнил. Рука ноет от писанины.

Странное завершение рукописи. Я думал когда-нибудь опубликовать ее как историю об одном из провалов Пуаро! Удивительно, как иногда поворачивается к нам судьба...

С того момента, когда я увидел Ральфа Пейтона и миссис Феррарс, идущих вместе, меня не покидало ощущение приближающейся катастрофы. Тогда я подумал, что она признаётся ему во всем — как оказалось, я жестоко ошибался, но эта мысль не покидала меня даже тогда, когда я вошел в кабинет Экройда и он рассказал мне всю правду.

Бедный старина Экройд... Я очень рад, что дал ему шанс. Я ведь умолял его прочитать письмо. Хотя, если честно, разве я подсознательно не рассчитывал на то, что, заставляя его, получу обратный результат и эта тупая башка никогда его *не* прочитает? То, как он нервничал в ту ночь, очень интересно с точки зрения психологии. Он чувствовал, что опасность где-то рядом. Но ему не пришло в голову заподозрить *меня*.

---

[1] От греческого «оправдание». Речь или текст, направленный на защиту чего- или кого-либо. Предполагается, что объект апологии подвергается внешним нападкам.

Кинжал появился позднее. Сначала я захватил с собой одно очень удобное оружие, но, увидев в витрине кинжал, подумал, что гораздо лучше будет использовать предмет, который со мной никак не связан.

Мне кажется, что я все время хотел убить его. Как только я услышал о смерти миссис Феррарс, мне в голову запала мысль, что перед смертью она все ему рассказала. Когда я встретил его на улице и увидел, как он возбужден, то решил, что ему все известно, а он просто не может в это поверить и хочет дать мне шанс объясниться.

Поэтому, вернувшись домой, я принял меры предосторожности. Если проблема была каким-то образом связана с Ральфом, то это все равно не помешало бы. Два дня назад он дал мне диктофон, чтобы я посмотрел его. Там была какая-то незначительная поломка, и я уговорил его доверить прибор мне, вместо того чтобы посылать его на фирму. Я сделал то, что мне было надо, и в тот вечер взял его с собой.

Я доволен собою как писателем. Что может быть изящнее такого, например, абзаца:

Письмо было доставлено без двадцати девять. А без десяти девять, когда я уже покидал «Фернли», оно все еще оставалось непрочитанным. Положив руку на ручку двери, я остановился и оглянулся, чтобы проверить, не оставил ли что-нибудь недоделанным. Но ничего вспомнить так и не смог и, покачав головой, вышел и закрыл за собою дверь.

Как видите, все написанное — чистая правда. Но представьте себе, если б я поставил многоточие после первой фразы! Не возник ли бы тогда у читателя вопрос, а что мы делали в эти десять минут?

Когда я от двери осмотрел кабинет, я был совершенно удовлетворен. Все было учтено. Диктофон лежал на столике возле окна, настроенный так, чтобы заработать в 9.30 (сделанный мною маленький приборчик был довольно изящен — основанный на принципе будильника), а кресло было подвинуто таким образом, чтобы диктофон нельзя было увидеть от двери.

Должен признаться, что встреча с Паркером прямо у двери потрясла меня. И я тщательно зафиксировал этот факт.

А потом, когда тело было обнаружено, я послал дворецкого звонить в полицию — как идеально я подобрал слова: *я сделал то немногое, что мне оставалось!* А ведь практически ничего делать и не надо было — просто запихнуть диктофон в саквояж и поставить кресло на его всегдашнее место. Я не мог себе представить, что Паркер обратит на кресло внимание. По логике вещей, он должен был быть настолько занят телом, что не мог заметить ничего вокруг. Не учел комплекс вышколенного слуги...

Я хотел бы заранее знать, что Флора скажет, что видела своего дядю живым и здоровым в 9.45. Ее заявление озадачило меня больше, чем я могу об этом сказать. И вообще на протяжении всего расследования появлялись факты, которые ставили меня в тупик. Казалось, что к этому преступлению приложили руку абсолютно все.

Но больше всего меня беспокоила Кэролайн. Я все время боялся, что она догадается. Любопытно, как в тот день она говорила о моей «слабости»...

Что ж, правды она так никогда и не узнает. Как сказал Пуаро, у меня еще есть выход...

Я могу ему верить. Они с инспектором Рэгланом как-нибудь разберутся с этим вопросом. Я бы не хотел, чтобы Кэролайн знала. Она любит меня, и потом, она гордая женщина... Моя смерть будет для нее большим горем, но горе со временем проходит...

Когда я закончу писать, то положу рукопись в конверт и адресую его Пуаро.

А потом — что будет потом? Веронал? В этом есть даже что-то символическое. Хотя я не считаю себя виноватым в смерти миссис Феррарс. Она была прямым результатом ее собственных действий. Мне ее совсем не жалко.

Так же, как мне не жалко себя.

Пусть будет веронал.

Я бы только хотел, чтобы Пуаро никогда не уходил на покой и не приезжал сюда, к нам, выращивать кабачки.

Оглавление

Литературно-художественное издание

Агата Кристи

УБИЙСТВО РОДЖЕРА ЭКРОЙДА

Ответственный редактор *В. Хорос*
Художественный редактор *А. Сауков*
Технический редактор *Г. Романова*
Компьютерная верстка *Е. Киселева*
Корректор *М. Мазалова*

Страна происхождения: Российская Федерация
Шығарылған елі: Ресей Федерациясы

ООО «Издательство «Эксмо»
123308, Россия, город Москва, улица Зорге, дом 1, строение 1, этаж 20, каб. 2013.
Тел.: 8 (495) 411-68-86.
Home page: www.eksmo.ru   E-mail: info@eksmo.ru
Өндіруші: «ЭКСМО» АҚБ Баспасы,
123308, Ресей, қала Мәскеу, Зорге көшесі, 1 үй, 1 ғимарат, 20 қабат, офис 2013 ж.
Тел.: 8 (495) 411-68-86.
Home page: www.eksmo.ru   E-mail: info@eksmo.ru
Тауар белгісі: «Эксмо»
Интернет-магазин : www.book24.ru

Интернет-магазин : www.book24.kz
Интернет-дүкен : www.book24.kz
Импортёр в Республику Казахстан ТОО «РДЦ-Алматы».
Қазақстан Республикасындағы импорттаушы «РДЦ-Алматы» ЖШС.
Дистрибьютор и представитель по приему претензий на продукцию,
в Республике Казахстан: ТОО «РДЦ-Алматы»
Қазақстан Республикасында дистрибьютор және өнім бойынша арыз-талаптарды
қабылдаушының өкілі «РДЦ-Алматы» ЖШС,
Алматы қ., Домбровский көш., 3«а», литер Б, офис 1.
Тел.: 8 (727) 251-59-90/91/92; E-mail: RDC-Almaty@eksmo.kz
Өнімнің жарамдылық мерзімі шектелмеген.
Сертификация туралы ақпарат сайтта: www.eksmo.ru/certification

Сведения о подтверждении соответствия издания согласно законодательству РФ
о техническом регулировании можно получить на сайте Издательства «Эксмо»
www.eksmo.ru/certification
Өндірген мемлекет: Ресей. Сертификация қарастырылмаған

Дата изготовления/Подписано в печать 16.03.2022. Формат 84x108 $^{1}/_{32}$.
Гарнитура «Telingater Display». Печать офсетная. Усл. печ. л. 16,8.
Доп. тираж 5 000 экз. Заказ № 1446/22.

Отпечатано в АО «Можайский полиграфический комбинат».
143200, Россия, г. Можайск, ул. Мира, 93.
www.oaompk.ru, тел.: (49638) 20-685

Москва. ООО «Торговый Дом «Эксмо»
Адрес: 123308, г. Москва, ул. Зорге, д. 1, строение 1.
Телефон: +7 (495) 411-50-74. **E-mail:** reception@eksmo-sale.ru

По вопросам приобретения книг «Эксмо» зарубежными оптовыми
покупателями обращаться в отдел зарубежных продаж ТД «Эксмо»
E-mail: **international@eksmo-sale.ru**

*International Sales: International wholesale customers should contact
Foreign Sales Department of Trading House «Eksmo» for their orders.*
international@eksmo-sale.ru

По вопросам заказа книг корпоративным клиентам, в том числе в специальном
оформлении, обращаться по тел.: +7 (495) 411-68-59, доб. 2261.
E-mail: **ivanova.ey@eksmo.ru**

Оптовая торговля бумажно-беловыми
и канцелярскими товарами для школы и офиса «Канц-Эксмо»:
Компания «Канц-Эксмо»: 142702, Московская обл., Ленинский р-н, г. Видное-2,
Белокаменное ш., д. 1, а/я 5. Тел./факс: +7 (495) 745-28-87 (многоканальный).
e-mail: **kanc@eksmo-sale.ru**, сайт: www.kanc-eksmo.ru

Филиал «Торгового Дома «Эксмо» в Нижнем Новгороде
Адрес: 603094, г. Нижний Новгород, улица Карпинского, д. 29, бизнес-парк «Грин Плаза»
Телефон: +7 (831) 216-15-91 (92, 93, 94). **E-mail:** reception@eksmonn.ru

Филиал ООО «Издательство «Эксмо» в г. Санкт-Петербурге
Адрес: 192029, г. Санкт-Петербург, пр. Обуховской обороны, д. 84, лит. «Е»
Телефон: +7 (812) 365-46-03 / 04. **E-mail:** server@szko.ru

Филиал ООО «Издательство «Эксмо» в г. Екатеринбурге
Адрес: 620024, г. Екатеринбург, ул. Новинская, д. 2щ
Телефон: +7 (343) 272-72-01 (02/03/04/05/06/08)

Филиал ООО «Издательство «Эксмо» в г. Самаре
Адрес: 443052, г. Самара, пр-т Кирова, д. 75/1, лит. «Е»
Телефон: +7 (846) 207-55-50. **E-mail:** RDC-samara@mail.ru

Филиал ООО «Издательство «Эксмо» в г. Ростове-на-Дону
Адрес: 344023, г. Ростов-на-Дону, ул. Страны Советов, 44А
Телефон: +7(863) 303-62-10. **E-mail:** info@rnd.eksmo.ru

Филиал ООО «Издательство «Эксмо» в г. Новосибирске
Адрес: 630015, г. Новосибирск, Комбинатский пер., д. 3
Телефон: +7(383) 289-91-42. E-mail: eksmo-nsk@yandex.ru

Обособленное подразделение в г. Хабаровске
Фактический адрес: 680000, г. Хабаровск, ул. Фрунзе, 22, оф. 703
Почтовый адрес: 680020, г. Хабаровск, А/Я 1006
Телефон: (4212) 910-120, 910-211. **E-mail:** eksmo-khv@mail.ru

Филиал ООО «Издательство «Эксмо» в г. Тюмени
Центр оптово-розничных продаж Cash&Carry в г. Тюмени
Адрес: 625022, г. Тюмень, ул. Пермякова, 1а, 2 этаж. ТЦ «Перестрой-ка»
Ежедневно с 9.00 до 20.00. Телефон: 8 (3452) 21-53-96

Республика Беларусь: ООО «ЭКСМО АСТ Си энд Си»
Центр оптово-розничных продаж Cash&Carry в г. Минске
Адрес: 220014, Республика Беларусь, г. Минск, проспект Жукова, 44, пом. 1- 17, ТЦ «Outleto»
Телефон: +375 17 251-40-23; +375 44 581-81-92
Режим работы: с 10.00 до 22.00. **E-mail:** exmoast@yandex.by

Казахстан: «РДЦ Алматы»
Адрес: 050039, г. Алматы, ул. Домбровского, 3А
Телефон: +7 (727) 251-58-12, 251-59-90 (91,92,99). E-mail: RDC-Almaty@eksmo.kz

Украина: ООО «Форс Украина»
Адрес: 04073, г. Киев, ул. Вербовая, 17а
Телефон: +38 (044) 290-99-44, (067) 536-33-22. **E-mail:** sales@forsukraine.com

Полный ассортимент продукции ООО «Издательство «Эксмо» можно приобрести в книжных
магазинах **«Читай-город»** и заказать в интернет-магазине: www.chitai-gorod.ru.
Телефон единой справочной службы: 8 (800) 444-8-444. Звонок по России бесплатный.

Интернет-магазин ООО «Издательство «Эксмо»
www.book24.ru
Розничная продажа книг с доставкой по всему миру.
Тел.: +7 (495) 745-89-14. E-mail: imarket@eksmo-sale.ru

▓║▎ЧИТАЙ·ГОРОД

ISBN 978-5-04-101008-9

book 24.ru

Официальный
интернет-магазин
издательской группы
"ЭКСМО-АСТ"